TOEIC®テスト900点 TOEFL®テスト250点への王道

TOEIC is a registered trademark of Educational Testing Service (ETS).This publication (or product) is not endorsed or approved by ETS or The Chauncey Group International Ltd.
The TOEIC Program is administered by The Chauncey Group International Ltd., a subsidiary of Educational Testing Service.

TOEFL is a registered trademark of Educational Testing Service (ETS).This publication (or product) is not endorsed or approved by ETS.

杉村太郎

ダイヤモンド社

はじめに

この本を読めば、日本人の平均スコアは飛躍的に伸び、アジアの王者となることだろう

本屋に行くとTOEIC・TOEFLの教材が山のように積んである。それこそどれから手につけていいのかわからなくなるほど。うんざりして何も買わずに帰ってきたことを覚えている。

どれもこれも一生懸命作ってあるのだろうが、はたして使い手はそれをどのように使っているのだろうか。うまく使えてない人がほとんどなのではないか。

僕がスコアを取るための勉強をしていた当時。我究館の館長という仕事をしていて、勉強をスタートさせるのは早くても深夜の1時からだった。休みは月に1日あるかないか。大手のスクールに通うべく大金も支払ったが、講演など仕事が入って、結局数回しか行けなかった。

最初に受けたTOEFLは、なんと470点（ペーパー試験。コンピュータ試験に換算す

ると150点）！　かなりやばい。自分でも驚く誰にも言えない点数。リスニングもグラマーもリーディングもまさにちんぷんかんぷん。山カンだけで取れるスコアからのスタートであった。しかもすでに35歳。本当にTOEFL620点（コンピュータの260点）取れるのか？　エベレスト登頂よりも大変なんじゃないか。尻込みしたくなる気持ちをねじ伏せてのスタートだった。

どうすれば僕でも点が取れるのか、僕は真剣に考えた。

もともと努力することが苦手な故に、効率的な方法を考え出すのが大好きな僕は、まず勉強にとりかかる前に、勉強方法の研究に打ち込んだ。貴重な勉強時間は、勉強方法の研究時間に代わった。点数を取った人の体験記の入手。実際に彼らに会ってのインタビュー。各スクールの有名講師の指導方法の入手。暗記力や脳みそ、耳の研究に関する本、メンタルタフネスの本、言語学の本（！）まで読み、また過去の試験問題と、買いこんだ20冊以上の市販のテキストや問題集を分析し、やれることはすべてやりながら（こういう研究は僕はまったく苦にならない）ベストの方法論を編み出していった。そしてようやく実際に英語の勉強をスタートさせながら、修正を加え、さらなる効率的な方法論を確立すべく整理していった。

結論から言えば、目標スコアは結構あっさりと取れた。エベレストに思えた山は、実は高尾山だった。努力がいらないとは言わないが、ハイスコアを効率的に取れる方法があるのである。

もっと時間があるのに、何ヶ月も勉強していても点が取れないという人を多く目にする。なぜだろうか。

それをこの本で詳しくお伝えするのだが、勉強時のテンション、点数を取ることに対する執着心、そして本番前の過ごし方や試験会場での集中力もさることながら、まず勉強方法や勉強内容そのものに問題があるのではないか。

適当にやりながらも数ヶ月ちゃんと続ければ点が取れるというものではない。問題集を着実にやっていれば点が取れるというものではない。スクールに大金払ってちゃんと通えば点が取れるというものではない。

ハイスコアを取るためには方法があるのだ。


この本は「TOEIC・TOEFLでハイスコアを取るにはどうすればいいか」に絞り込んだ本だ。

点数を取ることと英語力は別物だという意見もある。僕はそう思わない。点数が取れたからといってそのままどこでも通用する実力があるとは言えないが、TOEICやTOEFLは英語の実力の養成にはもってこいの試験だ。英会話スクールで単純な会話が上達するのとはわけがちがう。新聞を読んだり、本を読んだり、テレビを見たり、さまざまな表現で自分の言いたいことを伝えるコミュニケーションや議論をするのに必要な力が、勉強の過程で勝手に身につくのだ。

僕の提案する勉強方法は楽しい。おそらく勉強をはじめていくと、ある時点から前のめりにノリノリになっていくだろう。トイレの中でも風呂の中でも、つい勉強したくなってしまうだろう。ハイスコアを取るうえで一番大切なことがいつのまにかできていくだろう。

そうはいっても、例えば暗記という単純作業に、社会人になって打ち込むのは最初のうちは骨が折れよう。しかし、英語の神様はいる。ベースボールにはベースボールの、仕事には仕事の神様がいるように。

一生懸命やれば、誰かがきみのそばにいて、きみを後押ししてくれる。試験の本番中にも、きみを力強く後押ししてくれる。難解な文の構造がすっと見えてきたり、残り時間1分で、自分でも信じられない集中力が発揮できる。そして気がつけば、すばらしい世界が広がっていくことを体感するはずだ。小説や映画にダイレクトに感動し、外国人とストレスなく心を通わせることができる。いっしょに笑い、いっしょに涙し、本気で議論もできるようになる。そして何より、英語に関係なく、自分自身に対して大いなる自信を手に入れる。そのための楽しい試練にさあ飛び込もう。

目次

第1章 勉強をはじめる前に知っておくこと

第2章

基礎力養成編

単語の暗記編

文法編

リスニング編

リーディング編

第3章 実戦力養成編

文法編

リーディング編

リスニング編

ライティング編(TOEFLのみ)

第4章 本番の受け方・テクニック編

第6章 心の底からやる気になるには

本文に入る前に

TOEICとTOEFLの関係

本文に入る前に、TOEICとTOEFLの関係を整理しておこう。

TOEICもTOEFLもアメリカのETSというところが作っているものである。ちなみにTOEICはTOEFLから派生したものである。

TOEFLは、アメリカ・カナダの大学や大学院への留学の際、スコアを要求されるもののため、リスニングやグラマー、リーディングで使われる題材は学生生活や学術よりである。といっても、高校生が受けられることを考慮した常識レベルでしかないが。

一方、TOEICは、転職や社内のキャリアアップなど、社会人の英語力を測る指標とされており、ビジネスシーンよりのテーマが多い。

書店で出版されている教材などを見ると、あたかもTOEICとTOEFLは別物という扱いで、置いてあるコーナーまで違うが、基本的には英語の試験であり、英語力を測るものであり、肝心な「英語の基本」はまったく同じである。基本的な単語も共通だし、当然文法は同じものだ。したがって試験の対策もそのほとんどが共通である。

試験内容はいくつかの大きな違いがある。したがって実戦力対策は若干変わってくる。

参考までに、TOEFLはコンピュータで受験し、特にリスニングとストラクチャーと呼ばれる文法部分では、受験者のレベルに合わせ、受験生の各設問の正解不正解により次の問題が変わる。間違えればレベルが低いと判断され、より簡単な問題が出る。もちろん簡単な問題は正解してもスコアはよくない。正解を続ければ難しい問題が出てくる。限りなく難しくなる。特に最初の数問は重要で、ここで間違えるとレベルが低いと判断され、最後まで響く。いずれにせよ、1問1問のできぐあいで、その都度、受験者のレベルが判断され、それに合わせたレベルの問題を出してくる。

したがって、比較的簡単な問題を確実にやるといった、問題の取捨選択ができない。すなわちほんとのところの受験者の実力がばればれになってしまう試験になっている。リーディングも結構長い文章が出てくる。また、ライティングのパートもあり、その対策も必要になる。

TOEICは今のところペーパー試験である。ライティングが弱いとハイスコアはありえない。簡単な問題も多い。ペーパー試験だから、難易度の低い問題から解く、という作戦が通用する。長文の長さも難易度もTOEFLに比べればはるかに短くやさしい。リスニングもTOEFLに比べ、短く、ゆっくりしゃべってくれる。

両方とも問題量は多く、時間も長い。しかし問題量の割には時間は少ない。スピード競争と持久力競争、そして、リスニングでは記憶力保持競争の側面がある（聞いた内容を問題を解くためにしばらく覚えておかねばならない）。

スコアの相関は、難易度が違うため難しいが、コンピュータのTOEFLでの250点は、TOEICでは930点以上といえる。

この本は、実戦力対策など、特に分けて説明する部分もあるものの、基本的にはどちらもターゲットにしている。繰り返すが、両方とも基本的には英語の試験対策であり、その対策もそのほとんどが共通だからである。ことさらわけて勉強するものではない。違いの部分だけに特化した勉強方法は、枝葉の部分だけを押さえることになり、ハイスコア獲得には適していない。勉強のノウハウは同じなのである。

詳細は後述するが、どちらにせよまず「英語の基本」をしっかり押さえること。そして、それぞれに特化した「練習問題をたくさん解く」こと。それが最も大切なことだ。

きみがどちらの試験をターゲットにしていようと、気にせずに読み進めてほしい。

第1章

TOEIC/TOEFL

勉強をはじめる前に知っておくこと

セオリー

1 TOEIC900点、TOEFL250点はそんなにすごいことじゃない

まず安心してほしい。９００点にせよ２５０点にせよ、帰国子女や留学経験者じゃなくても絶対に取れる。

世間ではことさらすごい点数のように崇められているため、なかなか取れない点数だと思いこんでいる人が多い。また僕がそうだったように、自分のスコアがあまりに低かったり、数年（僕は10年以上）英語から遠ざかっていると、はるかかなたのエベレストのように感じてしまう人もいるだろう。

でもそんなことは本当にない。はっきりいって大した点数じゃない。誰でも取れる点数だ。勉強量も方法を間違わなければそんなにすごい量は要求されない。大学受験に比べればはるかに楽。体育会の夏合宿程度だと言えばいいだろうか（?-）。少なくとも真剣に仕事に打ち込んでいる人、あるいは打ち込んだことのある人は、そのテンションで、方法を間違わずにポイントを押さえて立ち向かえば１００％、3ヶ月から6ヶ月以内に取れる点数だ。

なぜ、取れている人が少ないのかというと、そのテンションで本気でやっている人が少な

いのと、ほとんどの人がハイスコア獲得に直結しない勉強法でやっているからでしかない。
仕事の合間を縫って、試験直前にちょこちょこっと問題集をやり、寝転がって単語を覚える程度のテンションでしかやってないか、あるいは、比較的楽しい（苦痛を伴わない）練習問題を解くことやテクニック的なことばっかりやっているからだ（スクールに通っている人もこのような人が多い）。

プロ意識をもって、社長命令の仕事だと思って、方法を間違えずにやるべきことをやれば、絶対に取れることを忘れないでおこう。本気でやれば、

「あれっ！」

と、取れている点数でしかないのだ。エベレストではない、高尾山だ。

その気になって自分を信じてやることが大切だから、このことを最初に伝えたい。

セオリー 2 いつまでに何点取るのか目標を決めよう。高めの目標を設定しよう

ＴＯＥＩＣもＴＯＥＦＬも合否ではなくスコアなので、

「頑張れるだけ頑張って、そのスコアでよしとしよう」

という発想をする人がいる。その考え方はやめよう。そんな臆病であまちゃんな発想ではハイスコアは無理。きっちりといつまでに何点取るのかを決めよう。いつまでに何をやるという締め切りを決めて強引にやっていくことが大事だ。

また、目標は高くすること。

「そんなの僕には無理！」

と思うメンタルブロックをなくそう。トルシエじゃないが、そういうコンプレックスが一番の障害なのだ。

仮に今、TOEIC500点だとしよう。700点を目標にしても意味はない。そんなテンションではだめだ。700点を取ることは簡単だが、そのテンションではその先は伸びないだろう。800点あるいは900点取る気で勉強しないと、その先のスコアは取れないものだ。その理由はこの後述べる。

恥ずかしがることはない。今のレベルが400点でも、3ヶ月後の900点を目標に設定すべきだと言いたい。

もちろん一足飛びに狙うのではない。**1ヶ月後には700点、2ヶ月後には800点。**そして**3ヶ月後には900点**だ。TOEFLの場合は**まず200点**。そして**230点。3ヶ月後には250点**を超えるのだ。途中で満足してはいけない。900点だって、250点だって、世間でいわれているほど大したことじゃないんだから。

セオリー 3 短期集中に限る

「少しずつ勉強して1年後に…」

という勉強の仕方は、TOEICやTOEFLには不適当だ。

スコアゲットとはその種のものではない。一気に攻めこむべきものだ。なぜか。

それは、

セオリー 4 スコアアップ＝「暗記」＋「慣れ」である

からだ。赤ちゃんでもない限り、少しずつ少しずつ暗記できるほど器用な脳みその人はいないだろう。ほとんどの人が受験を最後に遠ざかっているであろう「暗記の脳みそ」にスイッチを入れ、ガンガン覚える必要があるのだ。そのうえでの感覚的慣れが必要なのだ。

理解することを伴う勉強であれば時間をかけることに意味がある。しかし、

セオリー 5 TOEICやTOEFLは、まずは「単語と文法の暗記」とカンの勝負

なのだ。早くそう割り切るべきなのだ。暗記してなきゃ何もない世界なのだ。このことは非常に重要なことなので、のちほどまた述べる。

暗記の脳みそのスイッチは、長期間入れておくのは困難というよりも無理。3ヶ月ほど、暗記の脳みそを活性化させ、その間に大量に覚える作戦のみが有効なのだ。

また、リスニングでも文法の間違い探しでも長文の読みでも、英語のカンともいえる「慣れ」を要する。ということは、少しずつの勉強では慣れようとする前に、日本語の世界、仕事の世界、日常という現実に戻ってしまう。短期間に集中することが必要なのだ。

初めて自転車に乗れるようになった時を思い出してほしい。夕方、あたりが暗くなっても意地になって転びそうになりながら夢中になって乗り続けたはず。1日少しずつの練習では、暗記や英語のままでの理解力やカンを養う脳みそのスイッチを入れることすらできないだろう。

高いテンションでの勉強が1年も長続きできるほどエネルギッシュな人も少ないだろうし、暇な人も少ないだろう。もっとも、高いテンションで勉強すれば数ヶ月のうちにスコアは取れてしまうものだ。

「この3ヶ月が勝負！」

とばかりに、短期間のハイテンションでの勉強に限る。そういう勉強でしかハイスコアはとれないことをもう一度言っておきたい。

もしどうしても、「少しずつ長期間かけてやりたい」という人は、とにかく文法の参考書とリスニングを延々やるべきだろう。

繰り返すが、こと暗記に関しては、少しずつ長期間かけての大量暗記は脳みその仕組み上、無理だ。いつか必ず短期集中してやるしかないのだ。

セオリー

［6］

闇雲に勉強するな。ハイスコア獲得のメカニズムを把握せよ

ちょっと冷静になって、35ページの図を見てほしい。

ここに載っている11の項目がすべてそろって初めてハイスコアは出すことができる。何が

必要なのか理解してほしい。今はさっと読み流してかまわないが、今後勉強を進めながら、時々振り返って自分に何が足りてないかを確認するために見てほしい図だ。

まず精神状態について。

セオリー 7

安定した精神状態が極めて重要である。ストレスがたまって悩んでいる状態、仕事やプライベートで不安を抱えている状態では暗記の脳みそは働かない。勉強しても無駄。まず悩みの種をなくすか、考え方を変えて気分を切り替えることに時間を注ごう

いきなり精神状態の話でびっくりしたかもしれない。しかし、どういう気分で勉強をするのかは、実は大きなカギをにぎっている。焦りと不安が強すぎる状態で大量の暗記をすることは、脳みその仕組み上、不可能なのだ。適度な不安はそれを忘れるために夢中になるという作戦が通用するが、過度のストレス下では、集中力も暗記力も発揮されないのである。無理に勉強しても必要な脳みそが活性化することなく時間ばかりが過ぎるだろう。

例えば仕事をおろそかにしていてプレッシャーになっているのなら、仕事に燃えてすっき

TOEIC・TOEFLハイスコア獲得のメカニズム

これらがすべてそろって初めてハイスコアが出せる!

11 本番の集中力とコンデション

10 解法テクニックと試験への慣れ

実戦力

9 ライティング力 TOEFLのみ

8 中級の単語・熟語の暗記

7 リーディング問題解答力 大量の練習問題消化によるコツの習得

6 文法問題解答力 大量の練習問題消化によるカンの習得

5 リスニング問題解答力

基礎力

4 クイックな頭と集中力・集中力の持続力

3 英語を日本語に訳さずにリアルタイムで意味を理解する脳みその育成

2 基本単語・熟語の暗記　文法の理解と暗記

1 攻めの精神状態・ストレスや不安が少ない安定した精神状態

りしたうえで、さらに勉強するのか、あるいは勉強しないのか。または、多少仕事はサボりぎみでもいいのだと割り切って勉強するのか、どっちかにするべきだ。

「やばい！　あれもやらなきゃ、でもこれも…、ああまずいなぁ」

という心境のままでは、スコアアップは無理。勉強も無駄。すっきりするよう、行動するか考えを切り替えるかすることが大事だ。

「他にも勉強したいこと、やたりいことがあるんだが…」

特に単調な勉強をはじめると、妙に他の勉強などもしたくなるもの。ぐっとこらえて勉強するのもいいが、僕は時間の許す限り他の勉強などもやったほうがよかろうと思う。要するにストレスをためずにいい気分で「英語の世界＝暗記と慣れの世界」に入ることが大切だ。

セオリー ［8］

留学後のビジョンや留学中の専攻を悩みすぎてはいけない

また、「留学したいが何の勉強をするのか決まってない」「帰国後のビジョンが描けていない」「目的が曖昧」等を理由に悩んでいる人が多い。

後述するが、留学に留学前から明確な目的なんかなくたっていいに決まっているのだ。ばっちりビジョンが描けていたら楽しくない。それ以前に変だ。留学して新しい出会いや発見の連続があって、それでこそ先のビジョンが見えてくるのに、動く前からばっちり描こうとするほうがおかしい。ばっちり描けないのがおかしいのではなく、ばっちり描けてないと不安になることがおかしいのだ。

もちろん目的を持っていてもいい。実はそのほうが勉強も何もかも効率的に進む。キャリアデザインがしっかりできているうえで、その後のビジョンが描けていてもいい。しかし、明確な目的がなくてもビジョンが描けてなくてもそれは極めてノーマルなことであることは忘れないでほしい。

「留学したいからする。だから勉強する」

それでも本当は十分なのだ。

そう言われても…、

「何を専攻するか、アバウトにでも決まってないとどうしても不安…。受験の際、エッセイだって書かなきゃならないし…、親にも説明つかないし…、気持ちの整理がつかない！」

という人がほとんどだろう。だからこそ**アバウトに仮に決めておく**のが有効なのだ。**すっきりと未来が開けた気分**になるように。

どうやって決めるのか、どの程度決めるのかは、英語の勉強方法とそれるので6章に述べる。ちなみに留学用のエッセイは、我究館の絶対内定メソッドで完璧だ。

セオリー 9

暗記に年齢は関係ない。チャレンジ精神と暗記方法の問題だ

僕が勉強をはじめたのが35歳。もともと暗記は大嫌いで、そのうえ暗記というものから10年以上遠ざかっていた。オリジナルでクリエイティブな発想にばかり価値を置き、「パソコンがあるんだから、この世に覚える必要のあるものなどない。取り替えがきかない能力、すなわちオリジナリティとクリエイティビティとパーソナリティこそ価値があるのだ！」

などと、豪語していた。どこかに暗記が嫌いな言い訳もあった気がするが…。

勉強をはじめた頃、単語もなかなか覚えられず、また、スピーディにクイックに反応することも痔を手術して以来どうもキレがなくなっていて、リスニングだってちんぷんかんぷんで、はじめて試験を受けた後、しょげかえったものだ。千葉の山奥の試験会場の大学から、雨の中、傘もささずに駅までとぼとぼ歩きながら、涙さえ浮かんだものだ。

しかし、年齢を言い訳にしていても何もない。ある日を境に、気持ちの問題だと言い聞か

せた。

「今まで使ってなかった部分の脳みそを活性化させるのだ」

と、脳みそを若返らせるべく文献を調べた。

研究の結果、暗記力を伸ばす効果があるとされているものをすべて試みた。それまで飲まなかった**コーヒー**を飲みはじめ（飲みすぎは逆効果とのこと）、**チョコレート**を食べはじめ、**かるめ焼き**も店を探し出して食べはじめ、**パエリア**を食べ、**魚**を食べ、**若い異性との交流**も少々心がけた。忍耐力がつくとされている**牛乳**も飲んだ。

それらも効果があったろうが、それ以上に大切なのは、**「気持ち」**と**「暗記の方法論」**だというのが僕の結論だ。超、攻めまくるのだ。ワールドシリーズの第七戦のような本気の戦闘モードで戦うのだ。そしてスポーツのような闘いの楽しさを味わえる暗記方法で覚えるのだ（方法は2章に）。若きチャレンジャーの気分で勉強するのだ。使ってなかった脳みそを意識して使うのだ。

使っていなかった脳みそが活性化されていくのは自分でダイレクトに感じていく。脳みその違う部分がカッと熱くなった気がする。単語も文法もなぜかじゃんじゃん覚えられるようになる。それどころか、15年ぶりに親知らずが痛みだしたり、正直なところ年がいもなく、毎朝（！）起きた時に反応していたりと、本当に身体が若くなっていったのだ。

セオリー

10 義務感でやるのは無意味。攻めの気分で勉強せよ

「今日もやらなきゃ」と義務感でやるのではなく、「さぁやるぞ！」と前のめりでやることが肝心なのだ。嫌々やっててもそういう気分では何も覚えられない。むしろ英語が嫌いになったり怖くなったりするだろう。子供の頃へとへとになるまで真っ暗になってもキャッチボールをやっていたように、英語に夢中になるのだ。

仕事が強烈に忙しい人はついついそれを言い訳にして、勉強しても義務感で悲壮感を漂わせながらやってしまいがち。それじゃあだめだ。

「こんなに忙しいのに、俺はさらにこっそり英語の勉強もしてるんだぜ。やるだろう。しめしめ」

といった気分でミッションを抱えたスパイになった気分で攻めまくるのだ。どんなに苦しくとも攻めの気分で立ち向かう映画の主人公になりきるのだ。

セオリー 11

英語を好きになる。達人になってる自分を強烈に鮮明にイメージする

何にでもいえることだが、まず自分が輝いている姿、英語を使いこなして活躍している姿を強烈にイメージすることだ。ビジュアライズすることだ。これができている人は勉強している人の1％にも満たないだろう。その1％未満の彼らだけが、目標スコアをゲットし、英語をものにしているはずだ。

また、ある時期、例えば勉強を何日かサボったのをきっかけに、急におっくうになり、英語を見たり聞いたりするのが怖くなることもあるだろう。何事も再スタートが一番大変だ。そういう時は映画を観まくる時だ。

のちほど、どういう映画をどの程度、どうやって観るべきかを述べる。とにかく英語から遠ざかってしまわないように、勉強する気にならない時でも英語に触れていこう。

英語を使いまくっている自分を連想するもいい。ケビン・コスナーやトム・クルーズ、ジュリア・ロバーツやメグ・ライアンに自分をダブらせてもいい。客観的には多少無理があっても、自分の頭の中での連想は自由なのだ。

僕はケビンのいくつかの台詞を口にしてみて、「いつか使ってやるぞ」と自分を奮い立たせたものだ。「Here is to your beauty」後日、六本木のバーで実際使ってみた時の感激は決して忘れないだろう。

セオリー 12 プロ意識、イチロー気分でやろう

今やＴＯＥＦＬに限らずＴＯＥＩＣも多くの大学生が受験している。

ぜひ、「学生と同じテンションでやってたまるか」という気持ちでやろう。特に仕事をしてきた社会人は、プロとしての意識を持って、とことんやってほしい。寝っ転がりながらでなく、真剣にやるのだ。

僕も実際はそれほどできたわけではないだろうが、「日本一やったる！」という思いでやった。限られた時間なのだから、やる時は「日本で一番一生懸命やって当たり前だ」というつもりで。メジャーでリーディングヒッターを狙うイチロー気分だ。

セオリー

13

勉強する時は頭と心を切り替えろ

仕事に夢中で真剣であればあるほど、24時間仕事が頭から離れない人もいるだろう。気持ちはよくわかる。しかし、頭を切り替えろ。英語の勉強の時は仕事は忘れろ。一切忘れろ。仕事や家庭など、日常生活から英語の勉強の時間を切り取ってしまうのだ。英語のこと以外、他に考え事をしていない状態に頭と心を完全に切り替える能力を意識して養っていくのだ。

英語の勉強前に英語勉強用の音楽をかけて切り替えるのもいい。僕は深夜、英語のテープを聞きながら散歩に出かけて切り替えを行っていた。一回りして家の前の公園のいつものベンチに座ると、嫌でも英語の戦闘モードに切り替わるように自分をパブロフの犬にした。

セオリー

14

基本の徹底。それが最大のポイントだ

セオリー 15

基本とは英文法の理解と暗記。そして単語の理解と暗記。そして英語を英語のままリアルタイムで理解する脳みそを養うことだ

これまで気構えや気分にばかり触れてきた。ここからいよいよ実際の勉強内容に入る。TOEFLは毎月、TOEICも隔月に試験があるため、ついつい勉強は試験対策に直結した問題解答練習になりがち。そこが最初の落とし穴だ。

言うまでもなく英語はスポーツと同じ。まず基本ができてなければ実戦練習やテクニックばかりやっても無駄なのだ。少なくともあるレベルからは絶対に伸びない。

基本とは、文法の徹底と、基本単語の徹底。そして英語を英語のままリアルタイムで理解し、意味をとる脳みそを養うことだ。この3つが大切なのだ。

これがなければ、リスニングも速読もあったもんじゃない。しかし、現実には、この基本をおろそかにして、比較的勉強のラクな練習問題を解くということばっかりやってる人がいかに多いか…。実は最初僕もそうだった。問題を解いていればスコアが急に伸びる気がして飛びついてしまった。しかし、それは絶対に遠回りだ。基本を徹底するのだ。

お勧めの参考書をあげる。まず英文法。

📖「スコア730をとるためのTOEIC英文法」(語研)

📖「TOEFL　TEST対策完全英文法」(テイエス企画)

ほかにもいいものはあるだろうが、この2つは、定評があるだけに確かに間違いない。すばらしい。きみの狙いがTOEFLだろうがTOEICだろうが、関係ない。まず英文法を脳みそに叩き込むのだ。

どのようにやるのかは、のちほどまた詳しく述べるが、基本的には、「理解し」「覚える」のだ。読むだけでなく、自分で文章を作るなどして使えるようになることだ。

仮定法や、分詞構文などは、実際に自分にとって覚えやすい具体例で自分で文章を作るのだ。書いてみるのだ。

「スコア730を…」のほうは比較的薄い。しかし、例題がないから退屈する。ちなみに730と題しているが、TOEIC900点以上を狙うにもTOEFL250以上を狙うにも十二分な内容である。「テイエス」は厚いが楽しい。こちらのほうがやりやすいか。

次に単語。

まず基本的な単語とは、例えば、

📖「TOEFL大戦略シリーズ　TOEFL英単語3800」(旺文社)のステップ3まで

📖「コンピュータが選んだTOEFL必須英単語1800」(語研)
📖「TOEIC必須単語2400」(語研)
📖「TOEIC　Test　900点突破必須英単語」(ベレ出版)

あたりが個人的にはお勧めだ。

例えば、まずこのうちの1つをピックアップして覚えるのだ。

よくいわれているように、英語から日本語（英→日）だけでなく日→英までが、「1秒以内に」出てくるようにしなければ覚えたことにはならない。少なくとも1・5秒以内に出てこなければ本番では本当に使えない。

単語の覚え方や単語集の選び方は2章に詳しく述べる。ここまで読んでさっそく買いに走らずに最後まで読み進めよう。

「こんなにたくさん覚えられないよ」

という悲鳴が聞こえてきそうだが、心配しないでほしい。覚えられる覚え方がある。必ず覚えられる。

さらにプレッシャーをかけるようだが、一応言っておくと、先に述べた単語集のものだけを覚えるのでは実は足りない。というよりもっと多くの単語をもっと簡単に覚える方法がある。とりあえず、覚悟だけして読み進めてほしい。後で方法は教えます。

繰り返すが、

セオリー 16 基礎を固めておかないと、スコアはあるレベルで止まる。その先伸びない

暗記することから逃げてはいけない。

覚える量が膨大すぎて、逃げて練習問題に飛びつきたくなるが、ハイスコアを狙うなら絶対に大量暗記から逃げられないのだ。来月のテストのスコアはまったく気にする必要なし。3ヶ月後のハイスコアを狙うのだ。

もちろん気分転換に練習問題を解くのは自由だし、どんなものか知っておくのもいいことだ。しかし、暗記から逃げられないことは忘れないで。それにある程度の単語を覚えたうえで練習をやったほうが断然効率がいいということも。

セオリー 17 英語を英語のままで理解し、リアルタイムで意味を取る脳みそを養え！

もう一度35ページの図を見ながら読み進めてほしい。基本的に図に沿って説明します。

文法と基本単語の暗記ができていれば、本来は中級レベル（後で説明する）までの単語の意味さえわかれば、時間さえあればどんな文章でも読めるはずである（上級レベル以上の単語はTOEIC・TOEFLでは不要、出てきても慌てる必要ない。100％想像できるから）。

しかし、実際には、関係代名詞や挿入節でつないだ3行4行にまたがる文章になると、慣れないうちはなかなか意味が取れなかったりするものだ。いわゆる後ろから返し読みしてしまったりして、理解できても非常に時間がかかったりする。

リスニングでも同じだ。**頭から読みこなしていく（聞きこなしていく）感覚**をつかまないと、リーディングは時間がかかりすぎ、リスニングはついていけない。

長い英文を短時間に理解する能力を分析すると2つに分けられる。

1つは「読むこと」も「聞くこと」も、**英語を英語のままで日本語に訳さず素早く理解し、リアルタイムで意味を取っていく脳みそを養うこと。**もう1つは、**関係代名詞や挿入句でつないだ長い文章に対して、感覚的に慣れていくこと。**この2つが必要なのだ。

特に「英語を英語のままリアルタイムで意味を取ること」は、留学経験のない日本人にはほぼ全員身についていない。どんなに受験英語が得意な人でも。しかしこの脳みそを鍛えておかないと、速く読むことも聞き取ることも不可能なのだ。長時間英語を勉強していても、**この「リアルタイム脳みそ」を鍛える専用のトレーニング**をしておかなければ、ハイスコアはありえないものなのだ。そのことに気づかないまま長時間勉強しているにもかかわらず、スコアが伸び悩んでいる人が日本に何万人いるだろうか。英語のままリアルタイムで意味を取るトレーニングを積めば、リーディングもリスニングも飛躍的に伸びることを断言する。

セオリー 18 カンを養え

リーディング、リスニングだけでなく、文法でもカンは重要だ。

出題されうる**すべてのイディオムや語法を暗記することは絶対に無理。**しかし、知らなくても感覚的にどれがおかしいか、どれが正しいか、**嗅ぎ分けられるようになる**必要がある。

文法に関するカンは、前述の文法の基礎を押さえるだけでなく、練習問題を大量に解く必要がある。詳しくは後述するが、約1500問の文法問題を繰り返しやることで確実に養える。

1500問といわれて引いてしまわないように。やり方はのちほど3章で詳しく述べる。

本当に大したことはない。むしろ楽しい。しかし、「文法の基礎がなければ、どんなに練習問題を大量にこなそうとだめだ」ということをくどいほど言っておきたい。僕が最初そうだったから。

例えば僕は、文法は毎回満点に近いのだが、コンピュータのＴＯＥＦＬではそのレベルになると、後半はどの本にも問題集にも出てこないような非常に難しい問題しか出てこない（正解すると次の問題がどんどん難しくなるため）。１００％の自信を持って答えるのは7割程度か。あとは感覚だ。それでほとんど正解になるのだ。

長文に慣れるためのトレーニング方法も2章で述べる。**長文のリーディングスピードとリスニング能力は比例している。**長文をたくさん（１００パッセージ）読んで、読みを鍛えることでリスニングも確実に伸びるものだ。

逆に、英語をたくさん聞き込んでリスニングを鍛えることで、リーディングはいつのまにか早く読めるようになっていくのである。繰り返すが**「読み」も「聞き取り」も英語のままリアルタイムで意味を取る能力が求められているのである。**

「リスニングを鍛えるにはどうすればいいのですか？」

という人が多い。詳しくは後述するが、そういう人のほとんどが実は読みも遅い。頭からガンガン理解していく読みができてないから、当然聞いてもわからない。スクリプト（リスニングの内容を文章にしたもの）をゆっくり読めばわかるのに、**聞いてもわからない人の多くは、文頭からガンガン読みこなすスピードリーディングができていない人**なのである。

そして**スピードリーディングができていない人は、間違いなくリスニングが弱い人であり、英語を英語のままリアルタイムで理解し意味を取る脳みそを鍛えていない人**なのである。

言い訳はなしだ。単語や文法の暗記や理解に加え、英語を英語のままで理解する脳みそを鍛えないとだめなのだ。この脳みそを鍛える方法は2章で述べる。

セオリー 19 鍛えるのは英語だけでない。クイックな頭と集中力と持久力も鍛えるのだ

TOEIC・TOEFLはスピードとの闘いでもある。

そしてそのハイスピードを3時間以上続けられなければならない。じっくり考えたり、悩んでいる暇はない。**瞬時に理解し、即断即決**していかなければならないのだ。

したがって、実はクイックに考え、決断する頭と集中力も養わねばならない。そして数時間集中しっぱなしに耐えうる持久力を鍛えなければならない。

セオリー

20 ストップウォッチ片手に勉強せよ

クイックな頭を鍛えるために、方法は後述するが、常にストップウォッチ片手に勉強することをお勧めする。常にだ。

単語の暗記の時も、文法の暗記の時も、練習問題を解く時にも、文章を読む時にも、目標タイムを設定し、ストップウォッチで計って頭の回転のスピードアップを図る必要があるのだ。

読みは、**150ワードを1分以内**で読むように、ワード数を数えて目標タイムを設定してから読む。単語は1つ1秒と設定して覚える（チェックする）。**文法は1問30秒、40問を20分以内**に設定して解くのだ。詳細は後述するが、まさにアスリート気分で超高速の超集中状態での勉強が極めて有効なのだ。

この部分を読んでも引く人がいるかもしれないが、実際の試験はそのスピードじゃないと最後まで終わらない。実際、練習をやりはじめるとスポーツ感覚で楽しくなるから心配しないように。

セオリー 21

1日30分の勉強では意味がない。ぶっ続けでできるだけ長く、最低1回1時間以上やろう。それを「やって当たり前」に習慣化させよう

すでに述べたように、暗記の脳みそにスイッチを入れるためにも、英語の脳みそにスイッチを入れるためにも、そして、集中力の持続力を鍛えるためにも、勉強をはじめたらできるだけ長い時間続けよう。そして習慣化させよう。「今日はこんなにやったぞ」ではなく、**「当然やったぜ」**にするのだ。

スコアは、延べ勉強時間にはまったく比例しない。1日10分1年間勉強を続けても大したスコアは出せないだろう。

毎日でなくていいから、週2日でもいいから、1回の勉強時間をできるだけ長くすることだ。

2章でも述べるが、例えば「20日間完成の…」や「30日完成の…」といった教材がある。それらを本当に20日や30日でやってるようではまずい。どんなに時間をかけても「20日完成」なら勉強日3日で、「30日完成」なら勉強日5日でやるべきだ。そして一度勉強をはじ

めたらできるだけ**途中で休憩時間を作らない**べきだ。せっかく活性化しはじめた脳みそを元に戻しては、あまりにももったいないのだ。

セオリー 22 細切れの時間を見つけ出せ

特に社会人は忙しい。そういうことは言いたくないがじっくり勉強する時間にも現実として限界もあろう。だからこそ3分でも10分でも細切れの時間を勉強に当てるのだ。

電車の中、トイレの中、タクシーの中、風呂の中、デート中、ちょっとでも時間を見つけて、頭を勉強モードに切り替えて勉強するのだ。

当然ボーっとする時間や、街や人や電車の中吊り広告を観察する時間、思索する時間は減る。それらの大切な時間を削ることはそれなりに犠牲もある。わかっている。しかし、やるのだ。きみがそれでもやろうと決めたなら、やる価値があると判断したことならば、何かを犠牲にしてでもやるのだ。僕もほぼ毎日、昼飯時も晩飯時も食べながら勉強した。トイレの大の時は毎回必ず勉強した。

後で述べるがいつでもどこでも勉強できるツールを作ればいいのである。

図（35ページ）の実戦力の部分もさらっと述べておく。基本的に詳細は3章に述べるが、全体像をとらえておくことがいかなる勉強にも有効である。今のうちから知っておくべきことだ。

基礎ができたうえで、実戦力だ。基礎さえできていれば実戦力のトレーニングを積めば、スコアはガンガンに伸びていく。

伸びが止まった人は、まず基礎ができているのかを疑ってほしい。

基礎ができている自信があるのに伸びが止まったという人は、3章に述べる練習問題への取り組み方と、練習問題の量を見つめてみてほしい。

そして次に、テクニック。

解き方のテクニックによってスピードアップだけでなく、当然スコアも変わってくる。必殺技のようなテクニックはないが、各スクールなどで出まわっているテクニックや僕が発見したテクニックを主に4章に述べるので押さえておこう。

そして最後に、本番のコンディション。

本番1ヶ月前から、本番の日を意識してコンディションを整えていくべきだ。本番の集中力でスコアは20点から30点あるいはそれ以上も違うもの。

思いっきりジャンプして1点でも多く取るつもりで臨む必要がある。たまに、「試験中眠くなっちゃった」とか「寝ちゃった」という話を聞くが、僕には信じられない。試験中まばたきする暇もないテンションでやるべきである。TOEFLの場合はパソコン画面を見るので、終わった時に目が真っ赤になる状態でなければ真剣勝負とはいえないはず。大学院留学に必要なGREやGMATはもっと長時間だし、難易度はTOEICやTOEFLの比ではない（もっとも、TOEFLで250点取れれば、それほど大したことないと感じるはず）。

しかし、気合だけで集中力やその持久力がもつものではない。普段の勉強時から鍛えておく必要が確実にある。

直前の勉強方法だけでなく、本番のフィジカル面、メンタル面のコンディションづくりは非常に重要。まさにスポーツの試合と同じ世界だ。

緊張しやすい人など（実は僕も試験は非常に緊張するタイプ）、いろいろな人がいるのでいくつかのコンディションづくりや本番への取り組み姿勢について5章で提案する。

さて、ざっとハイスコアゲットまでの全体像を見てきた。

具体的な方法論を述べてないので、大変なことになったと思う方もいるかもしれない。確かに簡単ではない。しかし、方法で悩む必要はない。すべてこれから述べる。

あとは、気持ちを強く持って**プロ意識で**取り組もう。数ヶ月で英語は得意になるのだ。使えるレベルになるのだ。留学も実現し、履歴書にも堂々と書け、転職もはるかに有利になるのだ。きみの世界は確実に広がる。メジャーリーガーになるのだ。今まで使ってなかった脳みそも手に入れ、大きな自信も手に入れることができるのだ。

さぁ2章以降も、休憩を入れずに一気に読んでいこう。

この章のまとめ

ハイスコアの三大要素
①単語の暗記・文法の理解と暗記
②英語を英語のまま理解し、リアルタイムで意味を取る脳みその開発
③文法（1500問）とリーディング（100パッセージ）の実践問題の消化

第2章

TOEIC/TOEFL

基礎力養成編

繰り返すが基礎力とは、文法と基本単語の暗記、そして英語のままリアルタイムで理解する脳みそ開発のこと。それがないと、文章は読めない。リスニングもできない。会話だって、マクドナルドでの注文か、デューティーフリーでのお買い物、あるいはハワイやソーホーあたりのクラブでナンパされることしかできない。男であれ女であれ。

「基礎」は、TOEIC・TOEFLのスコアアップのためだけでなく、総合的な英語力を身につけるためにも絶対に押さえねばならぬことなのだ。

語学留学などでアメリカに1年あるいはそれ以上も住んでいるのに、日常会話程度しかできないという人はびっくりするほど多い。ホームステイしていたり黒人の彼氏がいてもだ。

なぜか。

当然ながら語彙が少なすぎるのだ。相手は、「こいつは単語を知らない」と思えば、コミュニケーションのロスをなくすため、幼稚園児にしゃべるような単語しか使ってくれないのだ。

しゃべりだって文法を押さえておかなければ永遠に超ブロークンで幼稚なままだ。もちろんそれでも簡単な日常会話は伝わるが、誰もわざわざ間違いを訂正してくれないから、永遠にインプルーブしない。それでしゃべれる気になっている人も大勢いる。

逆に、「基礎」を押さえておけば、英会話も楽勝である。僕はスコアアップの際、会話は一切勉強しなかったが、アメリカ人の連中は一様にびっくりする。基礎を勉強しておけば、度胸さえつけば楽勝でしゃべれるようになる。またリスニングの勉強をするだけで、発音だってかなりよくなる。自分で自分の発音の変化にびっくりし、ちょっと照れてしまったりするほどだ。

英会話スクールは、主婦にとってのカルチャースクール的に、趣味のために集う場、度胸をつける場としてはいいが、ＴＯＥＩＣやＴＯＥＦＬで高得点を取ろうとする人の行くところではない。それに、本当に会話ができる英語力をつけたいのなら、まず「基礎」をやるべきなのだ。そのうえで英会話スクールに行きたい人は行けばいい。

さぁ本題に移ろう。まず、暗記の方法から述べる。

セオリー 23

「超基本単語」をまず100％押さえる

当たり前だが、超基本といえるものから押さえる。超基本を押さえてなければ、先にあげたような文法の参考書をやるのすら、単語でひっかかって肝心な文法に頭が回らないだろう。

読者の中には、まるっきり今から勉強をはじめる人もいると思う。そういう人はもちろんだが、それなりに勉強してきたという人だって超基本単語がすべて頭に入っているかというと実は怪しい。**カッコつけずに超基本からいこう。**

超基本からスタートできるお勧めの単語集は、先にも述べたが、

📖「ＴＯＥＦＬ大戦略シリーズ　ＴＯＥＦＬ英単語３８００」（旺文社）

だ。この本のランク１の約１０００語が超基本単語だ。

ちなみに、僕が勉強をスタートさせた時、このランク１の単語の約60％しか英→日が出て

こなかった。だから安心してほしい。僕にとってはランク１の単語さえ非常に難しかったのだ。

　次に単語をどうやって覚えるか。ここからが超重要だ。

セオリー 24 単語集のままで覚えようとしない。暗記カードを自分で作る

「単語集を持ち、日本語の部分を手などで隠して、英単語を見て、そらで日本語を口に出してみる」

ということをやっている人たちがいる。それで全部覚えられる人は小学生か天才だ。たいていはそうやっても完璧どころかせいぜい7割ぐらいしか覚えられないだろう。いつまでたっても。その方法では覚えるべき単語が増えると限界がやってくる。最後までそれで通そうと思わないほうがいい。１００％は覚えられないから。

　ではどうやるか。

　手で隠して声に出して覚える作戦を一通りやったうえで、それでも覚えられなかった単語について暗記カードを自分で作るのだ。

東急ハンズでもロフトでも、大きな文房具屋でカードを買ってくるのだ。**カードは煙草の箱より一回り大きい、ある程度しっかりした硬いもの（コレクト社の75ミリ×125ミリのものなど）がよい。**写真参照！

この片面に英単語および必要なら発音記号を書く。裏には日本語および必要に応じて例文を書く。

パソコンに入力して、プリントアウトして覚えるという方法もあるが、発音記号や例文の記入、そしてなにより**チェックする順序をシャッフルできる**ことから、カードが最も優れている。

この**暗記カード作りが1つの大きな山だ。**極めて重要なツールなのだ。

小さなリングでつないだ単語カードが出回っているが、あれは中学時代の一夜漬け用には有効だったが、ＴＯＥＩＣやＴＯＥＦＬにはまったく不向き。リングをめくるたびに受験生気分は高揚するが、耐久性と後に述べる活用性に問題がありすぎる。あれは使えない。

実は僕も最初、20年ぶりにあの小さなカードに単語を書いて、銀色のリングでつないで使っていた。勇気を出して電車の中でめくってもみた。しかし、すぐにボロボロになった。真夜中にセロテープで破れた穴の部分を何度も修理して使っていたが、50束ほどできたところでやめた。内心「これはまずい」と早い時点で気づいていたが、せっかくここまでやったたか

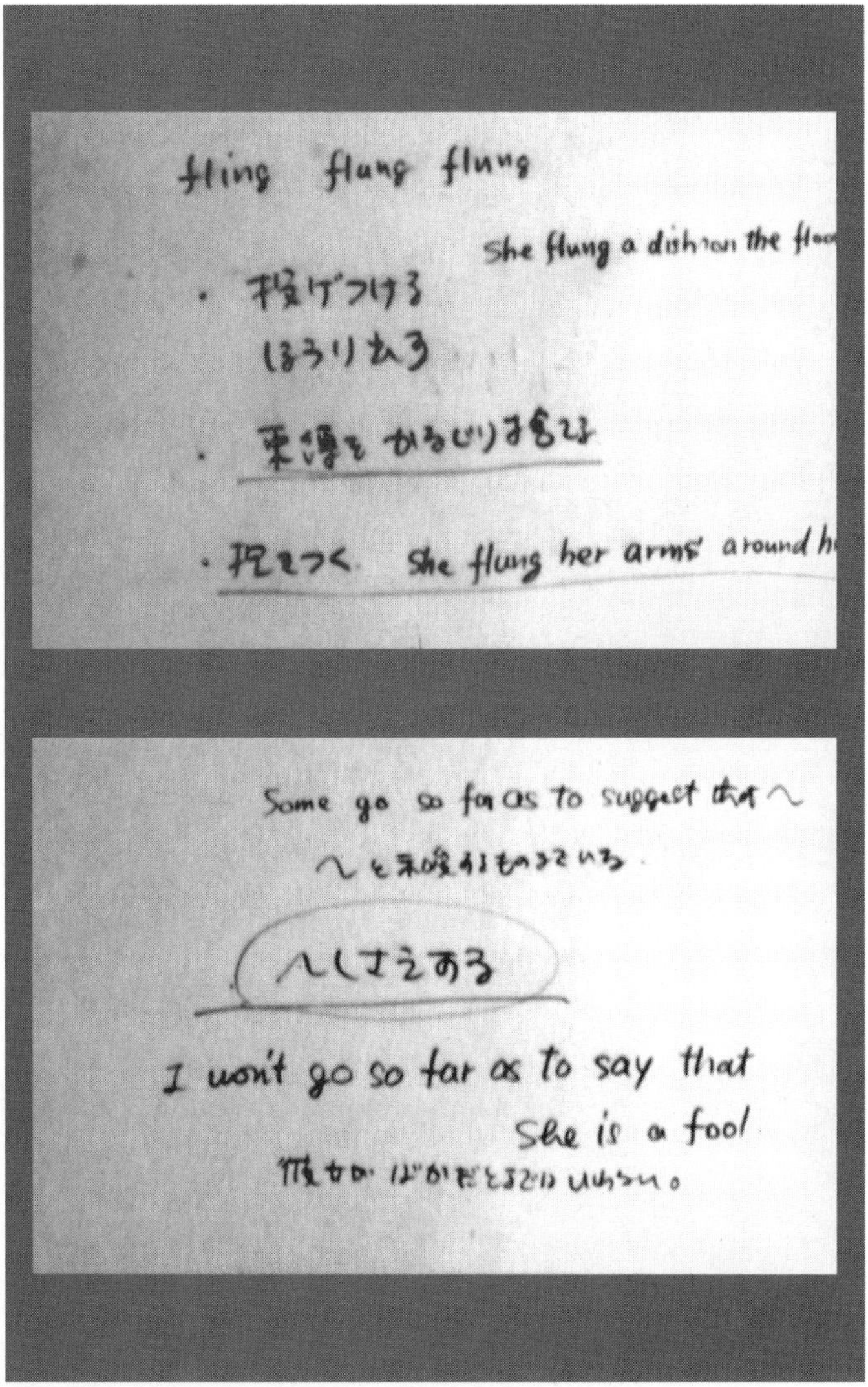
fling flung flung
She flung a dish on the
投げつける
抱きつく She flung her arms around
Some go so far as to suggest that ～
～と示唆するものさえいる
～しさえする
I won't go so far as to say that She is a fool
彼女がばかだとまではいわない。

●訳は覚えやすい日本語で必要なだけ。例文はオリジナルなものを自分で作ろう

らと意地になって続けてしまった。

本当に小さくて、例文も書きづらく、紙も薄くてすぐにボロボロ。どこかになくしそうになる。覚える単語量が膨大が故、整理もしづらい。しかたないから口の大きな花瓶に、山のように積んでテーブルの上に飾っておいた。何とも妙な風景でもあった。きみは同じ過ちを犯す必要はない。

ここで注意することがある。

セオリー 25 単語は必要に応じて自分で辞書を引くこと

単語集をそのまま書き写すのは愚の骨頂だ。辞書で引いて他の例文も読み、例文を自分で作りオリジナルで愛着のわく暗記カードを作っていくのだ。

セオリー 26 日本語訳は自分の覚えやすい日本語で書くこと

単語集に載っている訳の日本語のままできみはいいのか。自分なりの言葉に直したほうがいい場合もあろう。

例えば、「ratify」。たいていの単語集に「批准する」とある。批准するという意味が感覚的にとっさに出る知的レベルがあればいいが、そうでないのなら、「認可する」としたほうが自分のものになりやすい。

セオリー 27 例文は、単語集に載っているものをそのまま使わない。オリジナルな例文を自分で作ろう

単語集にはご丁寧に例文を載せてくれている。しかしそれをそのまま覚えるのは暗記効率がよくないのだ。脳みそに引っかからないから、まず覚えられないだろう。

必要に応じて辞書で調べたうえで、自分の身近な話題の覚えやすいオリジナルな例文を、わざわざ自分で作って書くのだ。例えば固有名詞を入れて作るのだ。

He teases me.でなく、Mr. Yoshioka teases me.というふうに、きみを悩ます課長の名前を入れてイメージをすりこむのだ。めんどくさいが結局そのほうが暗記の効率が断然いいのだ。

セオリー 28

単語によっては、訳は1つや2つでは足りない。必要なだけカードに書き、全部覚える

例えば「implementation」。

辞書にはまず、「履行」と載っているだろう。そこで「履行」だけ書いて覚えても試験では使えない。「履行」以外の意味、「実行」とか、「完成」のほうがはるかに狙われやすいからだ。もちろん「履行」も覚えなければならない。「disposal」は「配置」だけ覚えていても使えない。本番で文章の中で意味が取れない。「処分」「売却」「譲渡」「廃棄」まで絶対必要なのだ。

そういった「１つの単語の複数の意味、訳語が充実している」という点でも、先にあげた、旺文社の「３８００」は優秀だ。

「３８００」に載っている日本語訳は全部覚えなければいけない。「３８００」の著者である神部氏は、アナログ的に自分の感覚で１つ１つ確かめて、丹精こめて作ったのであろう。定評があるだけのことはある。

セオリー

29 「単語集は自分に合ったものを選ぼう」は間違いである

耳心地のよいことばではあるが、前述のように、どこまで訳が載っているかは非常に重要と言える。辞書に載っている訳を全部書き写し、全部覚えることは不可能だから、信頼できる量、十分な量の日本語訳が載っている単語集を選ぶべきだ。

書店に居座り、単語集を徹底的に見てみたが、訳語が少なすぎるものが多い。これを最初にやったうえで他のものに移るのであれば別だが、はっきり言って二度手間だろう。

一方、前述のベレ出版の「ＴＯＥＩＣ　Ｔｅｓｔ　９００点突破必須英単語」は、超簡単基礎単語が載っていない。ある程度基礎単語を押さえた人にはいいが、たいていの人は、そこそこ点が取れてても超基礎および基礎単語が実は不十分であるから、いきなりこれをやるのは申し訳ないが非常によくない。著者の気合が伝わってきていいのだが…。２冊目用だ。ちょっと単語集としては完成度が高すぎる。用例など自分で調べてこそ覚えることをやってしまってくれているすごい本だ。

セオリー

30 電子辞書を使う

いちいち普通の辞書を引くのは時間がかかりすぎる。重い辞書を持ち歩くのも困難。

電子辞書をぜひともお勧めしたい。断然速い。軽い。便利。

しかし、電子辞書といってもいろいろある。訳や例文や解説や複合語などが充実しているのは、僕の知る限りでは、ずばり、**カシオのEX-WORD**だ。はっきり言ってダントツだ。

ジャンプ機能でワンタッチで他の単語に飛べる。極めて便利。今でも僕の宝物だ。

一度、英英辞典もついているということで、他社のものを使ったが、まったく使えなかった。例文が少なすぎた。結局それは1時間も使わずに、父にプレゼントした。父は喜んでいた。

セオリー

31 超基礎単語は一気にやってしまう

超基礎単語が暗記できてなくては、文法もリスニングもへったくれもない。例えば「3800」のランク1はまず100%暗記せよ。覚え方はこれからどんどん述べるから。

セオリー 32 毎日毎日単語ばかりをやるのはよくない。超基礎単語を終えたら、文法やリスニングもはじめよう

超基礎単語の段階を超えれば、単語ばかりやっていてはいけない。単語の暗記が重要だからと、そればっかりでは英語は身につかない。文法の参考書をやるのだ。もう文法の参考書に出てくる単語のほとんど、とまではいかなくとも多くがわかるはずだから。

セオリー 33 暗記カードには、単語だけでなく、文法も熟語もすべて入れていこう

文法書を読みながら、単語に限らず、熟語や文法のわかってないこと、知らなかったこと、覚えてないことなども、カードを作るのだ。そしてこれから述べる覚え方で覚えるのだ。

セオリー 34

映画やDVDやテレビや新聞や問題集に出てくる、わからない単語で「これは覚えておくべき」と判断した単語・表現もどんどんカードに追加していこう

英語に触れるたびに、新しく出会った単語や表現のうち、「これは覚えておくべき」と判断したものはすべて、カード化するのだ。そのためにも、

セオリー 35

会社に行く時にもデート中にも、ビデオを観る時も、手帳とペンを携帯する

のである。出会った単語や表現は絶対にメモする。新聞を読む時やビデオを観る時などは、どの映画の、どのシーンで、誰がしゃべったか、映像さえも思い出せるように書いておくのがポイントだ。そして家に帰ってカードを作る。**出会いのシーンがわかるようにちょこっと書いておく。**自分らしい例文を作る。そうすればはるかに覚えやすく、また忘れにくい。

セオリー 36

超基礎単語は100%、基礎単語と中級単語は99%完璧に覚える

超基礎単語、基礎単語までは全部覚える必要がある。しかしその先の中級単語や上級単語となると、数があまりにも膨大。

「3800」でいうと、ランク2の700語が基礎単語。ランク3の1000語が中級単語。100%とは言わないが、99%完全に覚えておく必要がある。要するに絶対必要単語なのだ。知らなきゃお話にならないレベルの単語なのだ（ちなみにランク1が超基礎単語）。

もっとも、「3800」のランク3までが基礎・中級単語のすべてを網羅しているとは実は言えない。結構重要な基礎単語が抜けていたりするのも事実。**単語集だけに頼ってはいけないのだ。**

セオリー 37

単語集は最後のページまで全部覚える必要はない

しかし、ステップ4のレベル（上級単語）になると、そのレベルの単語は2万語ほどあり、全部を覚えることは無理。3800の著者も2万語レベルの中から一生懸命ピックアップして本にしたことと想像する。

もちろんステップ4をやってもいいが、僕は、最近までやらなかった。その代わりに、リーディングやリスニングの練習問題や映画やビデオやテレビや新聞や雑誌などで目にした単語を、そのうち「これは！」というものを、**片っ端から**覚えた。前述のようにこのほうが単語集を覚えるよりもはるかに覚えやすく楽しく、忘れにくい。

後日チェックしてみたところ、結局その方法で、3800のステップ4の7割8割は網羅していた。知らなかったものも正直たくさんあった。その代わりにステップ4に載ってないものもたくさん覚えることができた。ちなみに僕はTOEIC・TOEFLの本番で知らない単語は1つもない状態になった。だから試験がまったく怖くなくなった。

ちなみにGREは、大学院を目指すアメリカ人も全員受ける試験だけあって、超上級単語の嵐だ。ハイスコアを狙うならステップ4を全部暗記していてもまだ足りないのが現実なのだ。

暗記カードの作り方はもうわかったと思う。さぁ、いよいよここからが具体的な覚え方だ。

セオリー

38 暗記カードを、記憶度別にランク分けして、カードボックスに整理せよ

100％覚えたもの（◎）、そこそこ覚えたもの（○）、しばらくすると思い出すがいまいち時間がかかるもの（△）、出てきそうだが出てこないもの（×）、全然覚えられないもの（××）、などに分けるのだ。まずはトランプの親がカードを配る時のように分けていくのだ。そして仕分けの紙に印をつけるなどして、カードボックスに整理するのだ。

これをまず英→日で行う。食べるように覚える。

セオリー

39 ストップウォッチ片手に声を出して暗記する

ベッドやソファで寝転がりながら、やるのはよくない。それでは暗記の脳みそが反応しない。

椅子に座って、真剣にやるのだ。カード1枚あたり1・5秒。30枚から40枚をワンクール

として、目標タイムを設定する。

「位置について、ヨーイ。スタート！」の気分で、アスリート気分でやる。英語も日本語も必ず声を出してやる。これが有効だ。

ちゃっちゃかちゃっちゃか、やる。終わったらストップウォッチを止める。100メートル決勝か盗塁する緊張感でやるのだ。そうしてこそ、脳みそはぐんぐん活性化され、また集中力も限りなく高まる。

セオリー 40

暗記カードをトランプを切るようにシャッフルする

もちろん100％覚えたものは数週間は見なくてもいいだろう。しかし、◎以外のものは、ランクごとに**アットランダムに40枚ほどピックアップ**して、トランプを切るようにシャッフルして順番を変えて覚えるのだ。チェックしていくのだ。

これを何度も繰り返す。そのたびに各カードのランクをしかるべきランクに変えていく。すでに〇ランクだと思っていたものが、次にチェックした時出てこなくて×になったりする。ランクを上げていく時は一段階ずつというルールを作る。×が急には〇にならないのだ。

セオリー

41

暗記に適した場所を選ぶ

家の勉強机でやるのがいいという人もいるだろう。しかし、その場所がはたして暗記にいいかは、自分で感じてほしい。

例えば僕は、家の前の公園のベンチが暗記スポットだった。真夜中、朝の3時4時まで、ときどき暗記にいいとされるコーヒーで休憩を入れながら、両手にカードを持って目をランランとさせてやった。怪しい人になりきった。あるいは、広尾の図書館の前のちょっとしたベンチなど、基本的には風が吹いて、土や芝の匂いがする場所のほうが、アスリート気分は高まる。気分を高めることが大切なのだ。僕はメッツの

●暗記カードは記憶度別にランク分けして、カードボックスに整理しておこう

キャップをかぶってやったほどだ。

もちろん、ノッてきたら、風呂の中も、トイレの中も、ラーメンを食べながらもやった。その場合もストップウォッチ片手に、緊張感を高めてスタートした。その際はキャップは脱いだ。

暗記の脳みそにスイッチが入り、ほとんど血が通ってなかった脳細胞に血が巡りだすと、最初の頃とは見違える効率で覚えられるようになる。そうなると暗記が楽しくなるものなのだ。うれしくなってどんどん自信がついてくるから。

セオリー
42 カードはどんどん増やしていくのがミソ

たいていの人が、少ない数に絞り込んでそれを完璧に覚えようとするもの。それは一見効率的だ。しかし、実は、そのやり方では大量暗記に必要な、暗記の脳みそは活性化されない。
どんどん増やして**新しいものを覚えようとすればするほど暗記の脳みそが働きだす**のだ。だまされたと思ってそのようにやってほしい。暗記の脳みそにスイッチを入れ、完全に暗記モードに入れてしまうのだ。暗記人間になってしまうのだ。

セオリー
43
カードを作ったらその日と次の日にチェックを入れる

作るだけ作って、未チェックのカードがたまってしまうといきなりやる気がなくなるもの。作ったらやる。一度はチェックを入れて見覚えのある愛着のある単語に、愛着のあるカードにしてしまうのだ。カードが大好きになるように。宝物になるように。

カードが好きじゃなくなったら、その時はもう暗記モードではなくなっている時。また、脳みそを再スタートさせねばならなくなる。だからこそ、作ったら、眠くてもその日にチェックしてあげよう。もっとも、眠いと感じたら負けだ。戦闘モードになってないのだ。眠くなってたまるか。

セオリー
44
覚えられないものは覚えられるように脳みそに引っかかる例文やゴロ合わせを作る

なぜかなかなか覚えられない単語というものがある。たいていが**抽象的な意味の単語**だ。

映像が浮かびにくい単語だ。しかし、そういう抽象的な単語ほど、本番の試験では狙われやすい。

覚えにくい単語は、何としてでも覚えるようにカードを工夫する。絵を書いたり、ゴロ合わせを作って書いたり。そうやって**覚えにくいやんちゃなカード**ほど愛着を持って愛してあげるのだ。

セオリー 45

同じ単語のカードが複数あっていい。出合い頭のわからない単語は、すでにあるものでも、どんどんカードを作る

映画を観ていても、文章を読んででも、「ああこの単語、カードにあるのに覚えてない！」という現象は頻発する。その場合はもう1枚作ればいい。僕の場合、4枚もあった単語さえあった。

セオリー

46

自動詞か他動詞か、助詞は何を使うのか、数えられる名詞なのか数えられない名詞なのか、theはつくのかつかないのか、など単語を覚える時についでに覚えていく

例えば「provide」。ただ「与える」とか「用意する」を覚えたのでは使えない。「provide 人 with 物」「provide 物 for 人」まで書いておかないと。文法問題のため、そして、ライティングで**自分が使える単語にしていくこと**が重要なのだ。「provide」という超簡単な単語さえ使える単語になっていないのだ。

最初に作った時に気づかなかったとしても、後でどんどんカードに手を加えていけばいい。最初から完成されたものを作ろうとしなくていい。しかし、最終的にはこのレベルでやらないと不十分なのである。

曖昧な形容詞や副詞なら、どんな時に使う単語なのか、使用例をしっかり書き、できれば好きなジャンルの例文を書き、セットにして覚えていくのだ。

セオリー
47
接頭語・接尾語を意識して、分解して意味を想像しながら覚える。接頭語・接尾語を押さえると、単語量はどんどん増える

多くの単語が、分解すればおよその意味を想像できる。

例えば接頭語。

「de-」で始まる単語は、「下降」「分離」「否定」「強調」「悪化」のニュアンスがある単語だというように。

例　下降：descend, degradeなど
　　分離：decline, dethroneなど
　　否定：demerit など
　　強調：decline, definiteなど
　　悪化：devalue, deceive

「pre-」で始まる単語は、「前もって…」「…以前の」のニュアンスの単語だというように。

「com-」や「con-」「cor-」「co-」で始まる単語は、「みんなで…、ともに…」あるいは「まっ

たく…」のニュアンスの単語だというように。

「im-」や「in-」「em-」や「ir-」で始まる単語は、「…の中に」「…へ」「…に反して」のニュアンスを持つ単語だというように。

「dis-」で始まる単語は、「分離する」「不…」「非…」「無…」「反対」「強い否定」のニュアンスを持つ単語だというように。

「ad-」「al-」「pro-」「mis-」「off-」「uni-」「ex-」「sub-」…もっとあげたいが、自分で調べてほしいので省略する。

接尾語もチェックしよう。

「-fy」を接尾語とする単語は、「…にする」「…になる」のニュアンスを持つ。Purify, solidify, terrify など。

接頭語、接尾語は辞書の1ページ目に載っている。

こうやって感覚的にも覚えていくことができるのだ。

セオリー

48 発音やスペルからも意味のニュアンスはおおよそ想像できるようになる

また、**似ている単語は語源が共通であるから意味も似通っていることが多い**のだ。

極端な話、Lで始まる単語は大体こういう意味であることが多い、Mで始まる単語は大体こういう意味であることが多いというように。また**発音でも意味のニュアンスはつかめる**ようになる。

語彙が増えてきたらますます、見ただけで、聞いただけで、明るいのか暗いのか、硬いのか柔らかいのか、ポジティブなのかネガティブなのか、などなどニュアンスが想像がつくようになるのだ。もちろんはずすこともあるが。

セオリー 49

カードのチェックは何度も何度も繰り返す。量と時間を決めて、食べるように叩き込む

カードは作ることが目的じゃない。当然覚えることだ。作ることばかりに時間を費やしている人がいるとすれば、その人は間違いなくアホだ。何度も何度も繰り返し、文字がすりへって薄くなるまで繰り返すのだ。食べるように覚えるのだ。この作業、スピーディなチェック作業に時間を費やすのだ。

「何時何分までにここまでを覚えてから休憩する」と決めて、真剣にやるのだ。40枚ピック

アップしたのなら40×1・5×5＝300秒＝5分で、5回繰り返すイメージ。

覚えるカードの束を親指と人差し指に挟む。チェックして覚えていたもの（1秒以内に訳が出たもの）は小指と薬指に挟み、できなかったものは人差し指と中指に挟んでレベル分けしながら。

指使いは自由だがそんなイメージでやるといい。

また、「ストップウォッチ片手に」と前に書いたが、実際にはひざの上、または首にぶら下げるのだ。少し間抜けな格好かもしれないが、本人が本気ならきっと美しいはずだ。

セオリー 50 まず英→日が1秒以内。その次は日→英に挑戦だ

日→英が出るようになれば、もう頭にかなりこびりついているといえる。実際、ライティングで使うことや、近い将来の英語での小粋なトークをイメージして日→英もやっておくべきだ。

セオリー 51

暗記モードの時はできるだけ毎日カードチェックをやる

セオリー 52

集中する時間をできるだけ長く。覚えてくれば、1クール30枚から40枚を何セットも行う。できれば1回に合計300枚、500枚とやってしまう

スイッチが入っている状態をできるだけ長く。その間に新しい脳細胞が刺激され、さらに暗記に強い頭に変貌しようとしているのだ。

だいぶん覚えてきたと感じてきたらいっぺんに100枚、300枚、500枚！　とやってしまうのだ。

「こんなにも覚えているのか俺は！」

と、自分で自分を褒めたくなるが、気を緩めるな。きみはメジャーのリーディングヒッターを狙っていることを忘れてはいけない。覚えて当然なのだ。「Come on, come on!　Hang in there!」と何度もつぶやきながらやり続けるのだ。

セオリー 53

200%のものはもういらない。別のボックスに入れる。1ヶ月以内ならほっといていい

「もう完璧だ」というカードは、別のボックスに入れて、思い出とともにしばらくしまってしまおう。

セオリー 54

1週間に200%以外のカードの全部を一回転。それを毎週続けていく。2ヶ月やれば間違いなく完璧になる

セオリー 55

ほっておけば驚くほどよく忘れていくもの。どんなに間を開けても1ヶ月以内にもう一度同じカードを見る

よくいわれている通り、自信満々で見直すとあっさり忘れていたりする。きみが正常な人

間である証拠だ。心配する必要も暇もない。１ヵ月以内にもう一度やるのだ。この１ヵ月という期間が人間の記憶の脳みそには重要な数字とのことだ。

イチローだって、マイク・ピアッツァだって、新庄だって、フォームは完成されているのに、毎日毎日、素振りを繰り返しているのとまったく同じだ。と、考えよう。

セオリー
［56］

カードは合計2000枚から3000枚が目安

スタート時のレベルによるが、カードは２０００枚以上にもなるだろう。そのうち、２００％のものが８割ぐらいになるだろう。

振り返ると、「こんなのも知らなかったんだなぁ」と思わず口元がほころんでしまうだろう。きみは成長しているのだ。メジャーは目の前なのだ。いよいよここからが勝負なのだ。

◎注意

まず単語の暗記だけ毎日毎日やればいいのではない。先に述べた通り、

セオリー 57

超基本の単語を押さえたら、文法の全体像の把握、そしてリスニングの勉強にも入っていくべき

なのだ。

それらをやりながら、カードを増やし、覚えていくのだ。単語だけ完璧にしてもスコアはほとんど伸びない。ノリノリになって、単語だけ覚えまくって満足しないように。

また、最近は、初歩のレベルから単語帳を使わなくても、リスニングで英文をリアルタイムに意味を取る脳みそを鍛えながら単語を覚えていける素晴らしい教材も出回っている。

📖「英単語・熟語ダイアローグ１２００」（旺文社）

がそれだ。これを使えば、単語帳での基礎単語の暗記をせずに、いきなりリスニングに入っていけるという優れものだ。例えば「３８００」のランク1を覚えたらもうこれらの教材に入っていい。単語帳での暗記に面白みを持てない人には特にお勧めだ。

これと、その1つ上のレベルの

📖「英単語・熟語ダイアローグ１８００」（旺文社）

この2冊をスターターとして使い、後ほどリスニングのところで述べるその他の教材も含

めて、出てきた単語を、次から次へと覚えていくのだ。

その際も、もちろんカードを使ったほうが効果的なのは言うまでもない。

もっとも特にＴＯＥＦＬの人は「３８００」のランク３までは、１、２ヶ月後、リスニングの伸びを実感できた頃、確認の意味で押さえておく必要がある。単語の複数の意味を押さえるためにも必ずやるべきだ。

セオリー 58
覚えた単語が新聞や映画で使われていた時の感激を大切に

単語カードばっかりやってるのは生きている英語をやっている実感がない。その意味でも楽しさは不十分だし、暗記の効率も実はいまいち。

「試合の生きたボールを打つことが大事（イチロー談）」なように、映画やテレビや新聞を読んで実際に覚えた単語に出会うことが大切だ。

一生懸命覚えた単語を、メル・ギブソンやジェニファーも使っていれば、その瞬間、１００％頭に焼きつくことになる。これが単語の暗記の勉強で最も感動する瞬間なのだ。素直に感動しよう。

もう少し、暗記術について述べよう。

セオリー

59 暗記テープを作ろう

何度も繰り返したうえで、それでもなかなか覚えられない（△）以下のものは、自分でテープに録音してしまおう。効果は絶大だ。

（△）以下のカードを集め、テープレコーダーのマイクに向かって英語を読む。2秒開けて、日本語を読む。その後例文を読んでもいい。間に、覚えやすいようにアドリブでヒントを入れてもいい。少し恥ずかしいが、自分で自分に激励の言葉をいれてもいい。せっかくなら英語で。「You can do it !」とか。「Believe it !」とか。

わざとそれっぽく単調に録音する必要はない。むしろ逆。覚えるためにやってるのだから、脳みそに引っかかるように、引っかけるように、その単語にふさわしい声の表情をいれて外人気分でオーバーに発音して録音する。

そして通勤電車の中や、深夜、近所を散歩しながら超集中して聞きながら、テープの答えの前に、答えを実際に早口で口に出して言うのだ。勇気を出して、人目を気にせず。小さな声で。

文法編

セオリー 60

文法の参考書は3回読む。それ以上は読まない

セオリー 61

文法参考書は99%ものにする。理解するだけでなく、覚えるものだ。暗記するものだ

参考書は辞書とは違う。いつまでもわからない時参照するものではない。覚えてしまうものであり、覚えたらもうどこかにしまっておくものなのだ。

そういうつもりで取り組むこと。実際には何度も参照するのだが…。

セオリー 62
1回目は、覚えようとせず、できるだけ速く一通り読んでしまう

セオリー 63
何時までにどこまで読むかを決めて、集中して速く読む

理解が大切だからといって、ゆっくりやってたらいつまでたっても終わらない。脳みそもダレる。眠くもなる。つまらなくなる。それ以上に、最も大切な全体像をつかむことができなくなる。

前述の、「スコア７３０点をとるためのＴＯＥＩＣ英文法」や「テイエス」であるならば、どんなにかけても**2週間以内**に1回読んでしまおう。覚えなくていいから。全体像をつかもう。文法はこれがすべてなのだから。一通り全部見ちゃって不安をなくしてしまおう。

「こんなにたくさん覚えられないよ」という気持ちにもなろうが、大丈夫だ。覚え方がある

から。そして**超細かいことまで覚えなくていい**から。感覚的につかめていくから。

セオリー 64 2回目からは、ノートやカードを作りながら読む

セオリー 65 いきなり超細かいことまで作りすぎないように注意する

まずフレームを押さえることを意識しながら「ここは覚えておかないといけないだろう」と自分で判断しながら作っていくのだ。

単語だけの場合もある。文章を丸ごと出しておいたほうがいい場合もある。日本語の説明も簡潔かつ十分に、自分がカードだけ見てわかるように。例文の丸写しはよくない。自分が覚えやすいように、自分が使うであろうマターを用いて書くのだ。できれば自分が使うであろうシーンを思い浮かべながら、楽しんで例文を作り、書くのだ。

細かいことまでを一気に作るのは考えもの。まず押さえておくべきことと枝葉のものとは

自分でレベルを認識して、まず幹のもの、すなわち基本的な大切なものから押さえていく。

もちろん、カードに入る前に一度ノートを作っていくのもいいだろう。僕も最初そうやろうとした。しかし、途中で文法用のカード作成を並行させた。苦手なところだけ（仮定法のみ）ノートも作ったが、カード化もした。カードにすれば覚えられるという自信があったから。

セオリー 66

すべては覚えきれない。しかしすべてのパターンは感覚的に覚えられる。だからすべてをカードにしようとしない。感覚やカンを養うことも意識してカードを作る

参考書1冊細かいことまですべて覚えようとすれば、カードがそれだけで数千枚必要になるだろう。カード収集家の人以外はまったく意味がない。

超細かいことまでは覚えるのでなく、**感覚でパターンをとらえる**のだ。左脳だけでなく右脳で感覚として覚えるのだ。

しかし、当然ながら、**感覚でとらえるためにも、必要最低限以上のことを覚えていないと**お話にならない。

セオリー 67

文法のカードは連続性を持たせて作るものと、1枚1枚独立して後でシャッフルして使うものと、使い勝手を想定して作る

通しナンバーを振って使ったほうがいいものもあるだろう。むしろノートに書いたほうがいいものもあるだろう。例えば僕は仮定法なら仮定法のカードを15枚ぐらい順番通りにセロテープで貼り付けて作った。**ノートは満員電車の中で開けないがカードは井の頭線でも見れる。**ノートにするかカードにするか、臨機応変に、使い勝手を考えて作っていこう。

セオリー 68

一通りカードを作ったら、次はカードを暗記する。曖昧な時のみ参考書を見直す

大好きなカード暗記大会をまたやるのだ。

きみはカード作りをしているのではない。カード遊びをしているのでもない。ときどきカードの山を前にそんな不安がよぎるだろう。「こんなことしてていいのか」と。

目的を見失うな。きみはスコアアップのための英語の勉強をしているのだ。

覚えることに意味があるのだから、**覚えることに時間を割く**のだ。参考書を眺めたり、ひたすら蛍光ペンを引いてみたり、ノート作りに夢中になったり、練習問題を解いてばかりなど、覚えることをおろそかにしている受験生がほとんどなのだ。

この「カードを作る」→「覚える」という手順を、文法の基本のレベル（幹のレベル）と細かいレベル（枝葉のレベル）で行うことだ。レベルに分けて行うことで理解度、暗記度は効果的に高めることができる。

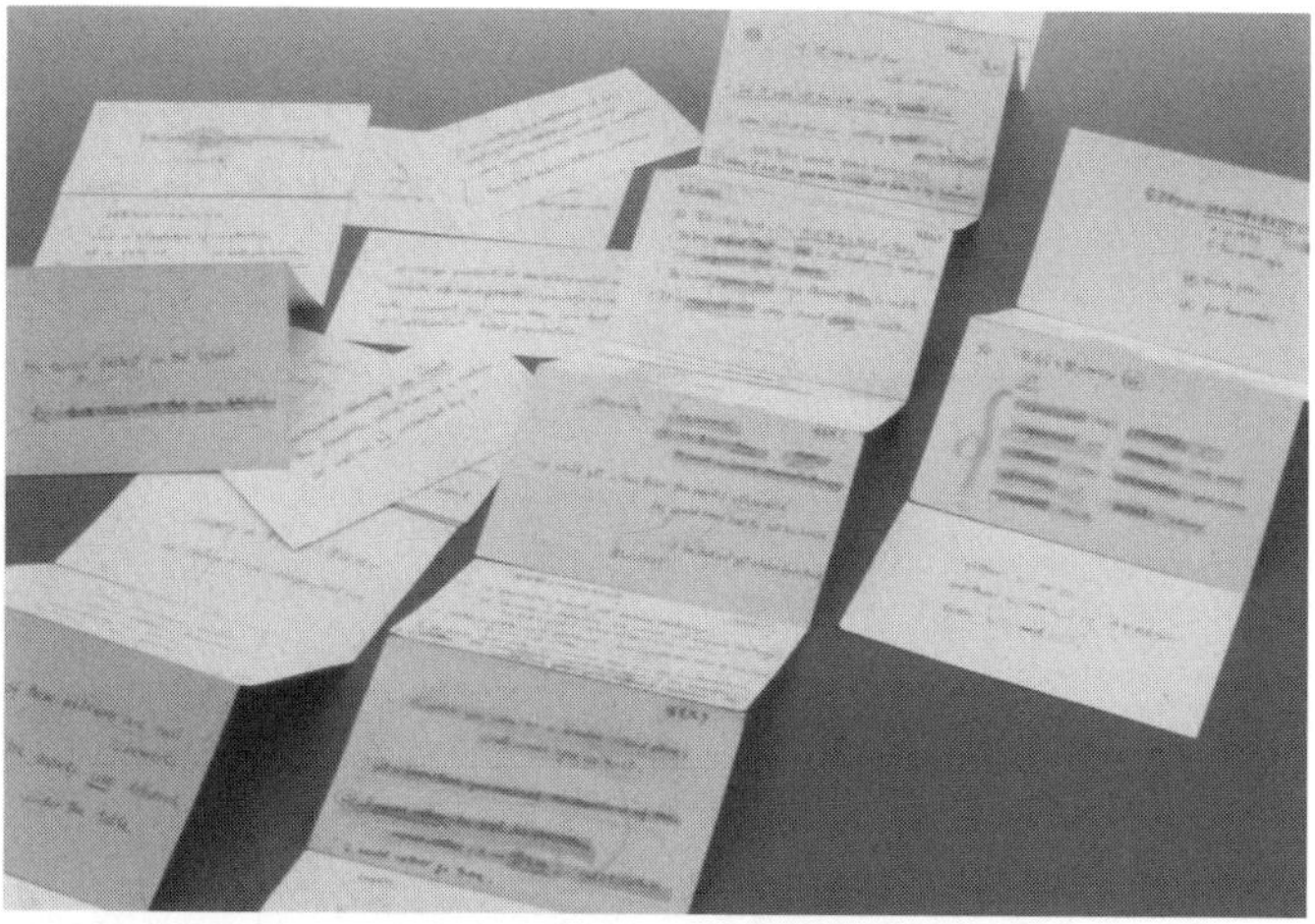

●中央の長くつながっているのが仮定法のカード。カードは満員電車の中でも読める

セオリー 69

カードの暗記を終えたら、「もう二度と参考書を開かない」つもりで最後に1回読む。必要に応じてカードを追加する

読みはじめたら、途中でだらけないように、全体像が見えている状態で、文法の神様に見守られている状態をキープするように。1週間も時間を空けてしまっては、見放されてしまう。

ここまで述べたことが文法の基礎力の養成である。基礎を身につけたうえでの大量の練習問題の消化が有効であることは何度も述べた。誰だって早く練習問題に行きたくなるが、まず基礎をやりましょう。基礎を短期間にやってしまいましょう。そして楽しい練習問題に入りましょう。

つい我慢できなくなって時々練習問題をやるのもいい。

しかし、基礎も必ずやるように。世界で通用するように自分を鍛えるのだ。目指すのは草野球の四番ではない。メジャーだ。

さぁ、暗記の話は一通り終わった。きみがうんざりしてないことを祈る。実際やってみると、結構楽しいから気にしないことだ。

あとはリスニングとリーディングをこの章では述べる。そんなに長くないから一気に読もう。

次の章を終わるまでは休憩しないでいこう。

リスニング編

セオリー 70

リスニングとリーディングの根っこは同じ。英語を英語のままリアルタイムで意味を理解できる脳みそを鍛え上げる

これが基本だ。

セオリー 71

リスニングとリーディングは並行して進めていくが、リスニング先行でやったほうが、ゴールは近い

なぜか。それはリスニングのテープは否応なしにしゃべってくれる。もう少しゆっくりしゃべってほしくてもテープはこっちの気持ちと関係なく先へ進む。しかし、リーディングは自分でどうしてもコントロールしてしまうからなのだ。速く読もうとしても意味がわからな

いまま読んでいっても意味がない。そうなると必然的にゆっくりになる。そして気づけばだらだらやっている。

リスニングが得意になればスピードリーディングもできる。リスニングが苦手な人はスピードリーディングもできない。そういうものなのだ。

僕自身、リーディングスピードを上げるためにどうすればいいか、考えまくった。単語を暗記しても、文法を一通り理解しても、構文をとらえる練習をしても、どうにもならない、英語を日本語に変えずに、リアルタイムで意味を取っていく力が足りないことにはすぐに気づいた。

そこで一旦リーディングの練習をやめ、ある時期リスニングをやりまくった。

では、両者に共通する「英語を英語のまま日本語に訳さず、リアルタイムで意味を理解していける脳みそ」はどうやって鍛えるのか。

セオリー 72

過去問テープは、リスニングの集中力を高めるためにも超重要。しかし、過去問テープばかり聞いていては、ハイスコアには遠回りだ

「集中して英語を聞く」ということがどういうことなのか、最初のうちはなかなかわからないものだ。初めての体験なので、集中の仕方がわからない。だからこそ、インターネットで購入するＥＴＳ発行のＴＯＥＦＬ過去問や、書店でも買えるＥＴＳのＴＯＥＩＣの公式問題が重要なのだ。

特に本番と同じ形式の練習問題を聞くことは、誰でも嫌でも集中せざるを得ない。電車の中だろうと嫌でも緊張する。これらのＣＤを聞いて、集中するとはどういうことかを早いうちに体で覚えておくことが重要だ。

しかし、過去問ばかり聞き続ければいいわけではない。そういう受験生が非常に多いが。

セオリー 73 長文のテープを聞きまくる

これが近道だ。その際、出てくる単語もいっしょに覚え、知ってる単語しか登場しない状態でテープを擦り切れるほど聞くのだ。ＤＵＯのような文が短いのものを延々と聞いてても効果は非常に低い。ＴＯＥＦＬの長文リスニング問題程度の長さがベストだ。ある程度長いから意味があるのだ。そして長すぎないから意味があるのだ。

短すぎず、長すぎずの長文のテープで手ごろなものが最近どんどん出てきている。まず、

セオリー

74

テープを聞く。文章を読む。これを繰り返し繰り返し行う

単語の暗記のところでも紹介した、

📖「旺文社　英単語・熟語ダイアローグ1200」（旺文社）

📖「旺文社　英単語・熟語ダイアローグ1800」（旺文社）

これが聞き取れるようになったら、

TOEICの人は

📖「TOEICテスト完全ボキャブラリー」（SSコミュニケーションズ）

TOEFLの人は

📖「戦略的TOEFLテストCBTボキャブラリー」（SSコミュニケーションズ）の基礎編と完成編の2冊

この他にもZ会からもいいものが出ている。

脳みそが育ってきたことを感じてきたら、あるいは、集中力が落ちてると感じている時は、どんどん過去問やETSの公式問題も聞いて緊張感と集中力を高めるのだ。

僕はＴＯＥＦＬ用の２冊合計１６０のパッセージを何回読んで、４本のテープを何回聞いたかわからない。少なくとも１ヶ月間、毎朝、早朝１日も欠かさず、すべての活動の前に、テープを最低でも１本聞いていていた。同じテープは続けて聞かず、今日がパート１のＡ（１本目）なら明日はＢ（２本目）、その次の日はパート２のＡでその次はＢ…というように。飽きまくるほど聞いた。意味が取れない時は本文を読んだ。**日本語訳はできるだけ見ないように**した。登場する単語は嫌でも覚えた。だんだん力がついてくるのがわかるはず。はっきりとリアルタイムで意味がわかるようになってくるから。そうなってきたら続けて２本聞いた。

声優の発音や読み方がはっきり言ってイマイチだし、イギリス英語の奴までいて気に入らなかったが、他にベターな教材が見つからなかったから腹をくくって聞きまくってやった。僕はこの２冊で、まず「基本となるリスニング力＝英語を英語のままリアルタイムで意味を理解していく脳みそ」を鍛えたと確信している。

もちろんこの４本だけで事足りるわけではない。過去問やアルクの「ＴＯＥＦＬリスニング大特訓」や「ＴＯＥＦＬイディオム大特訓」、旺文社の「ＴＯＥＩＣテストリスニング」などのテープなど聞けるものはできるだけ聞いたほうがいい。僕の場合は合計33本をやりまくった。

それだけのテープを聞きまくるには時間がかかる。できるだけ無駄な時間を作らないようにするために、**テープの空白の部分は再生のままで早送りにする。**通勤途中など、歩きながら聞く場合は、ウォークマンをポケットに入れ、ついでに手も入れて、早送りボタンをいつでも押せる状態にするのだ。この方法で電池は早くなくなるが、一定時間内に聞ける英語の量は飛躍的にアップする（約1・5倍）。

セオリー 75

リスニング能力は急には伸びない。階段を上るように伸びていく。しかしリスニングで高得点をあげることはできる

「ある時点から急に聞き取れるようになる」というフレーズを聞いたことがあるだろう。

僕もそれを信じて聞き続けた。それは半分は事実だ。

実際には、ちんぷんかんぷんだったものが、少しは聞けるようになり、少しは聞けるレベルだったものが、結構聞けるようになり…ということ。階段なのだ。ある日突然、すべて聞き取れるようになるわけではない。そして、その階段は永遠に続くのだ。

数ヶ月で、完璧に聞こえるようになることはありえないだろう。しかし、やりようによっては階段を早く上ることができるのだ。

セオリー

76

聞く延べ時間数ではない。「集中して理解しようと真剣に聞く時間」「連続して集中して聞く時間」で決まる

セオリー

77

1日少しずつ聞いても意味がない。できるだけ続けて聞くべし

お気楽に聞いているだけでは、まったくといっていいほど伸びないだろう。電車の中でも、風呂の中でも、散歩中でも、集中して聞くのだ。また、他と同様1日10分では、伸びは遅い。聞かないよりはいいが。

セオリー

78

リスニングの伸びを感じなくても辛抱して自分を信じて聞き続けよう

僕は何度、年齢のせいにしてリスニングから逃げようと思ったことか。

辛抱して聞き続けるのだ。「アメリカ人が全員わかることがわからなくてたまるか」と。筋肉と同じように脳みそを鍛えるのだ。とにかく聞きまくるのだ。

セオリー 79

眉間にしわを寄せて聞いてはいけない。肩の力を抜き、リラックスして聞く。できるだけ楽しみながら聞く

辛抱して聞くといっても、できるだけ楽しみながら聞くことがポイントだ。そのほうが伸びははるかに早い。

つい過去問のテープや練習問題用のテープなど堅い内容のものだと、身体中カチカチになって集中しようとするもの。僕もずうっとそうだった。

しかし、**体の力を抜き、リラックスしている時のほうが、聞いて理解する脳みそは働きやすくなり、理解しやすくなる**のだ。これは本当にそうだ。経験から思う。

普段聞く時も、試験中も思いっきり集中はするが、身体の力を抜くこと、心もリラックスすることを気をつけた。そのほうが確実に聞き取れるのだ。最初のうちはどうしてもそうなったが、**肩がこるようではだめ**なのだ。

後で述べるが少しでも楽しみながら聞ける方法と素材を選ぶことだ。要はテープだけでなく、映画も観ることだ。

セオリー 80

英語を聞くことを怖がらないこと、慣れること、がまず先決

リスニングが特に本当に弱い場合は、勉強以外のことをやっている時に、ＢＧＭがわりに聞き流しておくのもいいだろう（ずっとそれをやっててもだめだが）。

聞いても聞いてもわからないと、英語を聞くことに恐怖心を覚えてしまうことも時にはある。僕もあった。そんな時は、ただ流しておくのもよい。怖がったら上達は遅い。自転車と同じ。

意地でもスクリプト（文章）を見ようとしない人がいるが、そんな意地は無用。わからなければ文章を読んでからまた聞けばいい。

セオリー 81

なぜ聞き取れなかったのかを分析する

超重要だ。例えばスクリプトのついた過去問や練習問題をやる時は、なぜ聞き取れなかったのかを必ず分析しよう。

単語がわからなかったのか。**イディオムがわからなかった**のか。**構文が頭から取れなかった**のか。それとも**流れの中の発音**が聞き取れなかったのか。それとも**二重否定を感覚でとらえきれていない**のか。それとも**バックグラウンドとしてのトピックの基礎知識**が足りないのか（そういう場合もあろう。特にサイエンスやビジネスの話など）。それともまだ英語のままで理解する脳みそが鍛えられていないのか。

セオリー 82
流れの中の発音がどう変化するのか、パターンを気づいた順にメモしておこう

例えば「can」と「can't」。

流れの中では、両方とも「キャン」としか発音しない。「t」は発音してくれない。しかしよく聞くと「キャン」と「キャーン」のように長さが違ったり、「can't」の場合は強調して**強く発音**していたり**音程**が「can」の時と比べるとややシャープぎみに高かったりと、必ず微妙に違う。そういうところも気づいたら気づいた時に気づいた順にストックし、感覚で

覚えるだけでなく大好きなカードに入れこむのだ。そして同じ表現に出会った時に確認していくのだ。

基本的に流れの中で**最初と最後の子音は省略されることが多い**。特にＴＯＥＦＬでは。最初と最後の子音を発音してくれなくても**流れの中で推測してわかるようにする**のだ。

セオリー 83
流れの中での1つ1つの単語は、シルエットでとらえねばならない

のだ。

アメリカ人が楽勝で聞き分けられるのだから、**俺たちにできないわけがない**のだ。ちょっとだけ**英語用の聞き取りの繊細さ**を鍛えればいいのだ。注意深くして聞くことでコツをつかむのだ。

セオリー 84
聞き取れなかったところは、スクリプトを見ながら、自分もカッコよく声に出して発音してみる

そして真似してやってみるのだ。まったく照れることなく。顔の表情もオーバーに入れて。自分でも同じようにできたら、もう間違えないだろう。「なるほど」とインプットできるはずだ。**「同じ間違いを二度してたまるか」**というのもリスニングと文法の鉄則だ。

セオリー 85 一言一句聞き漏らさないように聞いてはいけない

木を見て森を見ないことになる。まず森を見よう。塊としてどういうことを言ってるのかをつかもう。それができないと、細かいことばかり聞き取れてても何を言っているのか、何を言いたいのか理解はできない。

だんだん慣れてくると、**どこにポイントを置いて聞けば理解しやすいのか**がわかるようになる。

主語、助動詞、動詞、肯定か否定か。まずそこからだ。

セオリー 86 リスニングは「基本的リスニング能力＋過去問」による演習が有効

まずは英語のままで意味を取るリスニングの基礎力をつけることが大切だ。

試験対策が気になるだろうから今のうちから説明しておくが、基礎力に加えて、過去問のテープを聞きまくることも非常に有効なのだ。試験の雰囲気に慣れるから。試験で緊張しなくなるから。そして、

セオリー
87 出題者の声、出題者の発音やしゃべり方に慣れること

ができるから。

試験のリスニング担当の声優は10人もいないのではないか。数えてないが。いつも同じ人がしゃべってくれる。同じ声で、同じしゃべり方で。同じクセで。題材だけ変えて。

過去問を聞きまくっていたら、本番中にも、**知り合いのおばちゃんやおじさん**のように親しみを込めて聞くことができる。緊張をほぐしてくれる。自分を応援してくれてる人がしゃべっているように感じることができるのだ。この効果は絶大だ。彼らのうちの数名はアメリカのテレビCMのナレーションでも時々登場している。

「おう頑張ってるじゃないか」、はっきりいって知り合い気分だ。

しかしだからといって、**過去問のテープだけ聞くのはやめよう。**それではハイスコアは難しい。リスニングの勉強が楽しくないから伸びは遅い。他にも生きた英語を聞くべきなのだ。勉強が楽しくなるから。そのほうが伸びるから。

セオリー 88
まったく聞かない日にちを開けないように

僕もスコアゲット後も含め、数ヶ月にまったく聞かなかった日は3日しかなかった。徹夜で仕事の日も朝聞いた。聞きたくない日もたくさんあったが意地でも聞いた。

ちなみにほぼ毎晩、眠る時に眠りながらも両耳イヤホンで聞いていた。

勉強期は、慢性睡眠不足。すぐに熟睡態勢に入っていったので、睡眠学習の効果がどれほどあったかはわからないが、電池はどんどんなくなっていった。イヤホンが首に絡まって苦しくなって起きるたび、少しの自己満足と少しのむなしさを覚えた。コンビニで単三電池を買うたびにも同じことを感じた。

セオリー

89
同じテープを続けて聞かない。いつも新鮮な気分で聞けるように

ついつい1本のテープを完璧にするまで繰り返し繰り返し聞きたくなるが、効果はあまりない。それが有効なのは、聞きはじめて間もない超初歩の時だけだ。一ヶ月も聞き続けたらそのやり方は、ぜひやめよう。

どんどん次のものを聞こう。漆塗り作戦だ。

映画のようにドラマ仕立てのものは別として、まじめな堅い内容だと新鮮味がない。ワクワクしない。その気分で聞き続けても効果は半減。繰り返すが気分が大事。特にリスニングは。

僕は33本のリスニング用テープを、何本か実際にすりきれたほど聞いた。勝手に暗記するほど聞いた。完璧に聞き取れてなくてもどんどん次のテープへとローテーションをしていこう。

セオリー 90

気に入った映画は特に観まくる。飽きずに感動できる限り、続けて観ても効果的。台詞を覚えるほどに

セオリー 91

映画は英語キャプションをつけて観る。キャプションなしで観る。順番はどちらでもよかろう。知らない単語、わからなかった単語、表現は次々メモすることを忘れずに

DVDなら問題ないが、ビデオの場合は、英語キャプションをつける装置（ソニーなど）を買うべし。

いつもキャプションをつけて観たくなるが、根性でキャプションなしでも観よう。キャプションつきでは、リスニングのトレーニングというより速読のトレーニングなのだ。正確には速読というよりパッと見で単語や短い文章を画像で処理、理解する「リアルタイム脳みそ」トレーニングなのだ。これも意味はあるのだが、グッとこらえてキャプションなしに挑戦しよう。まして日本語字幕では時間がもったいない。
キャプションなしで映画を観て感動で涙した時、別の意味でも感動を覚えることだろう。

セオリー 92 映画・DVD・ビデオ。せっかく観るなら効果的なものを選ぶ

条件は次のようなものと考える

スラングが少ない。発音がきれい。登場人物、とくに主演俳優が早口すぎない。登場人物に自分をダブらせやすいシチュエーション（主観でＯＫ）。のめりこめる＝自分が好きな映画、使ってみたくなる台詞が多い。ストーリーが難解すぎない。専門用語が出すぎない。アスリート気分を高める。見終わった後燃えてくる。もっと英語を勉強したくなる。

以上の条件を満たすものを、ピックアップし積極的に観た。僕のお勧めをあげてみる。

- "For Love of the Game"　10回は観ている。まだ飽きてない。もちろんケビンだ。
- "Field of dreams"　ケビンは早口にはならない。
- "Bull Dahram"　これもケビンだ。
- "Stealing Home"　邦題は「君がいた夏」。ジョディーだ。

〝A League of Their Own〟　ロバートだ。

〝The Natural〟　ここまではすべて、ベースボール・メジャーリーグ系。

〝JFK〟　これまたケビンだ。

〝Jerry Maguire〟　トムだ。

〝You've Got Mail〟　違うトムだ。気分はニューヨーカーだ。

〝Forever Young〟　メルだ。

〝The Green Mile〟　トムだ。

〝The Sixth sense〟　子供が主人公だからイージー。しゃべりもスロー。初心者向き。

〝American Beauty〟　30過ぎたらぜひ。

〝Six Days Seven Nights〟　気分転換。

〝Good Will Hunting〟　トップ10に留学希望ならぜひ。

〝Amy〟　オーストラリアのややマイナー作品だが。すばらしい。

〝Showgirls〟　若返ろう。

〝Forrest Gump〟　走ろう。

〝Basic instinct〟　一応あげておこう。

必然的に、

しゃべりの早くない俳優系、アスリート系、アーバンアダルトロマンス系、子供が登場する系、となってくる。

サスペンス系、イタリア系ギャング系、刑事もの系は、僕も好きなのだが、警察や刑事系は言葉がラフ。スラングの嵐となりがち。

また、ベースボール同様、ベトナム戦争系も、アメリカ人の連中の魂、価値観を知るチャンスと思う。ディズニー系も感情移入できるのであれば悪くない。僕としては実生活のリアリティを感じる実写もののほうがいいと思うが。アニメっぽく妙に声を作っているのは、単語がイージーであっても聞き取りにくい。テレビのセサミストリートも僕にとっては難解。また当然ながら、「007」など、ブリティッシュイングリッシュ系は避ける。

先にあげたものは、一般的に勧められるものをあげたつもりだ。しかし、きみはきみの個人の趣味で、好きなものをどんどん観るといい。入り込めることがポイントなんだから。僕は約30本ほどビデオ・DVDを持っているが、そのほとんどが少なくともそれぞれ5回は観ている。多いものでは20回は観ている。

また、1日中観まくった日もある。1日1本を連続して観まくった時期もある。毎晩、真夜中、真っ暗な部屋でメモを片手に1人で感動して涙していると、ふと、自分が何やってるのかわからなくなる。しかし、それでいいのだ。確実にリスニングは伸びるから。英語を楽しもう。

ちなみに、テレビはＣＮＮなどのニュース、Discovery Channelなどのドキュメンタリーがいい。

セオリー93 竹製の耳掻きは使わない。耳の掃除は綿棒にオリーブオイルをつけて

これは耳の研究でわかったことだ。そして実際に効果が確認できた。

僕は耳掻きが大好きだ。さらに少しでも聞こえるようにとほぼ毎日血がにじむほどやっていた。

しかし。音の認識のためには耳の垢が多少残っているぐらいがいいとのこと。さらに、竹の耳掻きで耳の皮膚に小さな傷がついている状態では、聞き取り認識力が著しく落ちるとのこと。

綿棒＋オリーブオイル作戦は絶対に有効。はるかに聞き取りやすい。さらに本番前３日は

耳垢掃除はしてはいけない。冗談ではない。耳垢をあえて残すのだ。

ここまでがリスニングの話だ。

リスニング能力の向上、すなわち英語を英語のままリアルタイムで意味を理解していく脳みそが鍛えられると同時に、勝手にリーディングスピードも上がっていく。信じてやってほしい。ぜひ。

リーディング編

リーディングの勉強をせず、スキャニングやスキミングなどの解法のテクニックに走る人が多い。特にTOEICを受ける人に。愚の骨頂だ。しっかり読めて初めて斜め読みができるようになるのだ。

セオリー 94
超基礎単語と文法がわかってないとリーディングは意味がない

いきなりどんどん英文を読みたくなる人もいるだろうが、単語と文法がある程度わかってないと、どんなに意気込んでも読めない。逆に単語と文法ができていれば、時間さえあればたいていの文章も読めるようになる。驚くほど。

しかし、時間をたっぷりかけて理解ができても、その実力では試験ではまったく通用しない。実際多くの受験生が時間内に終わらない。僕もそうだった。最初は全然足らなかった。

ある程度の速読が必要だ。これまで飽きるほど述べたように、英語を英語のままリアルタイムで意味を理解すること。さらに後ろからの返し読みや、二度三度と繰り返して読むのではなく、1回で頭からガンガンスラスラ理解していく読み方ができるようにならねばならぬのだ。

そのための方法を伝授する。

セオリー 95 教材を吟味する

まず、どの教材で読みの練習をするかが重要である。ダントツにいい教材がある。

📖「TOEFLリーディング問題270」（旺文社）

📖「20日間で完全マスター　TOEFLリーディング」（SSコミュニケーションズ）

「270」のほうが単語も文章も平易。まずはこちらからやろう。文章の題材はTOEFL向けであるが、リーディング力をつけるためにTOEIC受験者にもお勧めだ。

特に「20日間」のほうは、文章も解説もすばらしい。挿入節や句、関係代名詞のオンパレードで、

「こういう文章が苦手なんだよね」

という文で難しすぎないものをこれでもかと選んでくれてあり、かつ、

「こうやって読めばいいのか」

とわかりやすく説明してくれている。プロの仕事を感じる。

初歩レベルと思う人は、多少時間をかけてもいいが、超初歩の人でも1つの文を5分以内で読んでほしい。ここでも時間を計っていくのだ。初歩じゃないと思う人は3分以内だ。


英文を速く読めない理由を分析すると次の通りだ。

「速読を妨げる理由」
①英語のままリアルタイムで意味が取れずいちいち**日本語に訳して**読んでいる。
②**構造をつかむ能力が未熟**がゆえに、**頭から読みこなせない**。
③英文を読むことに**慣れてない**から、単純に遅い
④知らない単語に出会った時の対応を心得ていないため、**知らない単語に出会うとスピードがとたんに落ちる**。いちいち止まってしまう。
⑤次の内容を**予測しながらのリーディング**ができないから、いつもその場その場で突然内容

を理解しようとして遅くなる。

それぞれの解決策をあげていこう。

セオリー 96
いちいち日本語に訳さない。英語のまま概念でとらえる

これまで述べてきた通り。

最初のうちは受験時代のクセでいちいち日本語に頭の中で訳してしまうものだ。しかしそれをやっていたらいつまでたっても速く読むことはできない。まずはリスニング力を鍛えるべきだ。

最初のうちは難しく感じるが、それでも意地でも絶対に日本語に訳さず、内容を概念としてそのまま理解していくことを心がけていくことだ。

セオリー 97
どんなに長い文でも、構文をつかむことを意識しながら読むこと

どれが**主語**でどれが**述語**で、この**カンマで挟まれたもの**はいったい何なのか、を押さえながら、すなわち、頭から構文を予測しながら、そしてそれを確認しながら読むのだ。

先にあげた本の解説部分を読んだ後、もう一度パッセージ（本文）を読もう。そして2回目以降は少しスピードを上げて、頭から構文をつかみ内容を理解しながら、絶対に返し読みをしないで読む。

構文をつかむ練習は、実は文法の練習問題をたくさん解くことでもどんどん慣れていくことができる。このやり方は3章に述べる。

セオリー 98 多くの文章を読む。理解しながら読む。目で追うだけでは意味がない。理解しながら多く読む

セオリー 99 同じ文章を何度も読む。タイムを計って時間内にすらすら読めるようになるまで読む。パターンをつかむ

これは大切なこと。英文の感覚に慣れていくのだ。最初のうちは、1つ1つがそれぞれ個

性のある英文に見えるものだ。しかし、そんなに個性的な文章は、少なくとも本番の試験や、教材にはない。**試験に出るような正当な文章の場合は、カンマで囲っての挿入の仕方も、関係代名詞を使っての形容詞節によるしゃくりあげ方も、言いたいことを伝えるための論旨の展開方法も、説明の展開の仕方も明らかにパターンがある**のだ。

慣れてくると、扱っている題材が違うだけでどれも似たものに感じてくる。自分にとって難解な表現はいつも難解なのであり、どの文章を読んでもその種の表現を難解に感じるものなのだ。

「これは」と決めた教材を何度も読んでいこう。飽きないように時々他のものも読みながら。愛着の1冊を作ろう。

3章でも述べるが、長文は100〜200ぐらいのパッセージを何度も読むこと程度で十分な力を養うことができるのだ。

セオリー

100

いい文章を読む。出回っている教材にもあまり教材としていいとは言えない文章の教材もある。それらをいくら練習材料にしていても意味ない。いい教材を繰り返す

繰り返すが、文学作品的に芸術的だったり個性的であったりするために難解なものや、単にラフな文章は読む必要ない。ＴＯＥＩＣやＴＯＥＦＬの試験問題のように、**「スタンダードなタッチなのに難解に感じる表現を多用してくれるもの」**がリーディングの教材としてふさわしい。

また、リーディングの実力がまだそれほどない、と思う人は、解説がしっかりしているものを選ぶべき。ただ読んで、訳を見て、「こういうことが書いてあるのね」とわかっても、何の力にもならないから。

セオリー［101］ 途中に出てくる知らない単語は想像して読む。すぐに調べない

セオリー［102］ 知らない単語に出会ってもスピードが落ちない練習をする

いちいち調べないでまず読む。ゲスして読む。

最初のうちは誰もが、**知らない単語に出会った瞬間スピードが一気に落ちる**だろう。せっかくそこまでいいペースで読んでいたのに、知らない単語があった瞬間、それまでのスピードが水の泡になる。もったいない。

対策は、単語量を増やすことはもちろんだが、それに加えて、知らない単語もスピードを落とさないように常に意識して読むことだ。

ついつい「これは何だろう」と気になって、「バ・セ・バ・ル・ル」とか「イントリンズィカリー」とか頭の中でゆっくり発音してみたりなんかするものだが、そういうことはしない。クイックに頭の中で発音してみるのだ。発音でニュアンスを想像できることは多いから(後述)。

普段からの「単語1秒トレーニング」の成果を発揮し、パッと見て音を出し、意味のニュアンスが想像できるように。それでもわからないものはじっくり見てもわからないと割り切る気持ちで、**とりあえずなんとなく意味を想像して読み進める**のだ。

現実にはスピードはどうしても若干落ちざるをえないのだが、「スピードを落としてたまるか」という気持ちを持ち続け、できるだけ落とさないのだ。

セオリー
103
知らない単語は「分解して」接頭語などに注意して意味を想像する。「前後の内容」から想像する

接頭語・接尾語については単語の暗記のところで述べた通り。もちろん分解するといってもじっくり取り組むことではない。瞬時に行うのだ。

セオリー
104
超基礎単語、基礎単語、中級単語以外の単語はわからなくても、容易に想像できるか、あるいはわからなくても十分正解できるような問題しか出ない

だから、安心してガンガン読んでいいのである。

セオリー
105
次の文章、次の段落ではどんなことが書いてあるかを予測しながら読む

セオリー

106

英文エッセイの構成を把握する

慣れてきたらの話ではない。きみは英語の文章に慣れていないだけで、文章そのものには慣れているはず。**常に先を予測をして読む。**

また、それこそ慣れてきたら、**英語の文章は大体構成が決まっている**ことに気づくはずだ。

「トピックパラグラフ↓説明のパラグラフ↓別の説明のパラグラフ↓最後に発展させた結論のパラグラフ」

「各パラグラフの最初のセンテンス（文）は、トピックセンテンスであり、そのパラグラフで何を述べているか、テーマが語られている」

大雑把にいえばこういうふうに。

そういう構成・展開の仕方を感覚的につかみながら読むとはるかに読みやすくなる。

セオリー

107

指で行を追いながら読むことをしない。目で追う。顔も動かさず、目だけで追う。口の中でぶつぶつ言わない。いちいち発音してみない

ある程度、リピートリーディング力がついてきたらこの方法に切り替えよ。

普段からそういう読み方をしていかないと、慣れても速くなっていかない。必ず慣れるものだから、最初は苦痛を感じるが、目だけで追っていこう。

セオリー

108

一度に長時間。最低1時間は集中して読み続ける

暗記のところで述べた通り。せっかく英語リーディングの頭になっている時に、リーディング力をグーンと伸ばしてしまおう。

「延べリーディング時間」と「リーディング力」は、比例しないのだ。**1回を長く。できるだけ長く。しかも集中して。**

セオリー

109 慣れてきたら「1分150ワード」を基本に、ワード数を数え、制限時間を計算して読む

僕が使った教材には、どのページにもタイムが読んだ回数だけ書きこんである。どんどん速くなっていく。めんどくさがらずに計算しよう。150ワードを1分。アスリートなのだから。

もちろん、ただ目で追ってタイムを縮めることには価値がない。理解しながら速くしていくのだ。自己満足の世界に浸れるように。ちなみに計算にも電子辞書は便利だ。

セオリー

110 好きなジャンルの雑誌を読む。夢中になって入り込んでいる自分に気づくように。のめりこめるジャンルを

どんどん英語を楽しもう。のめりこめるものを選んで読もう。そのためにも雑誌がいい。読む前から内容が想像できて、興味を持てるかどうかわかるから。気分的にはペーパーバックを持ちたいところだが、のめりこめるかどうかはわからない。

ただし、いい文章を読むべきである。二流の雑誌は控えたほうがいい。ベースボールでもエンターテインメントでも、車でもファッションでもいい。どんなジャンルであれ、多少値が張っても、**一流の雑誌のまともな文を読む**べきだ。

ここで言ういい文章とは、もちろん内容ではない。これまで述べた通り、表現や構造がしっかりしている正統的な文章のことだ。ラフなタッチ、ノリの文章、芸術的すぎる文章、昔の人の文章でないもののことだ。

これはリスニングの教材にも言える。特にリスニング教材はいまいちな文章の教材が多い。そのようなリスニング教材はリスニング用にも使うべきでないし、読む材料としてスクリプト（文章）を何度も読むべきではない。


以上で基礎力養成編は終わり。

いよいよ実戦力の養成の話に移る。やらなきゃいけないことが膨大でうんざりしてないですか。たくさん書きすぎてしまったかとやや心配だ。

「へこたれるな！」

35歳でもやったんだぞ。

相田みつを作戦で、具体的に動きましょう。やり始めると本当に楽しくなる。オリジナリティを発揮して自分なりに工夫してやり始めよう。

その前に、アウトラインをとらえるために、実戦力はどうやって鍛えるのかも、知識として今のうちから知っておこう。でも本当に基礎が大事。絶対に後で自分でも気づくはず。

第3章

TOEIC/TOEFL

実戦力養成編

実戦力に磨きをかけていく勉強は楽しい。どんどん実戦形式の練習問題を解いていくのだから。

しかしこれまたやり方に気をつけないと空回りになる。得点に直接結びつく勉強のやり方をしよう。

もう繰り返して言わないが、実戦形式の練習問題をやりながらも、新しく出会った単語やイディオム、文法など、覚えておくべきと判断したものは、次々とカードにして覚える作業をやっていこう。

文法編

「文法は最も短期間にスコアアップを図れるセクション」という定説がある。確かに事実。しかしこれは、レベルが低いうちに限定した話である。そこそこ高いレベルで一層のスコアアップを図るには、基礎ができていることが前提になってくる。くどいが本当にそうだ。

セオリー 111 文法問題は１５００問を繰り返す。１５００問が、パブロフの犬状態（問題見たら答えが浮かぶレベル）を目指す

全体把握という意味で最初に言っておく。１５００問が完璧になれば十分だ。それ以上、練習問題の量を増やす必要はない。５００では明らかに足りない。１５００問といっても大したことはない。なぜなら、

セオリー
112

1500問すべてを繰り返すのではない。完璧なものはもう手をつけなくていい。間違えたもの、あやふやなものを繰り返していくのだ

もう二度とやる必要のない100%正解できる問題に（○）、間違えた問題に（×）、正解したが理由が定かでない問題や、もう一度やったらもしかしたら間違えるかもしれない問題、まぐれで正解した問題に（△）をつけていく。

そして×と△の問題を再びやるのだ。繰り返していくうちに、×も△も減っていくはず。1回正解したからと安易に○にせず、慎重を期して少しずつ×と△を減らしていくのがポイントだ。

ちなみに僕は、最初に手をつけた問題集に関しては、正解しても○をつける自信があるものはほとんどなかった。ラッキーで正解したとしか思えなかったから。だから1冊目の問題集はすべての問題を10回は繰り返した。

だんだん力がついてきたことを感じると、それに合わせ2冊目の問題集からは、堂々と○

をつけたし、○がついた問題は、二度とやらなかった。こんなふうに自分で工夫しながらやるといい。

できるだけ早く1つでも多く○をつけることが目的ではない。実力を身につけることが目的なのだ。

1500問の選び方として、次の順番がベストだろう。

●TOEFL

📖「TOEFL文法問題440」（旺文社）…440問

📖「TOEFL　TEST対策完全英文法」（テイエス企画）の診断テストとアチーブメントテスト…320問

📖「ITR　GRAMMER　CLINIC」（ITR）通信販売のみ…600問

📖「TOEFLテスト250点完全攻略文法」（アルク）…500問

TOEFLの対策をしておけばTOEICの文法は楽勝だ。

僕はここで上げた問題と過去問だけしかやらなかった。それでTOEFLもTOEICも、ほぼ満点がコンスタントに取れるようになった。しかし、TOEICの人は、これらの代りに次をやるべきだ。

●TOEIC

「TOEICテスト　語法・文法・リーディング」（旺文社）

「TOEICテスト　文法一〇〇〇」（三修社）

セオリー

113 問題を解く時は、時間を計って集中して急いで解く。問題集に直接選んだ答えを書きこむのでなく、ノートにやっていく

寝転がってやったことは僕もあるが、姿勢はどうあれ本気で集中してやることだ。しっかりとノートに答えを書いていくのだ。1問30秒。ストップウォッチは手放せない。のんびりゆっくりやるのではなく、集中して。アスリートとしての誇りを持って。

セオリー

114 間違い探しの問題は単に正解を選ぶのではなく、正しい答えは何なのかも自分の考えをノートに書いていく。正しいものを選ぶ問題は、なぜその選択肢を選んだのかを納得しながらやっていく

ただ、ピンとくる答えを選ぶのではないのだ。１問１問非常に短い時間の中でも納得して選ぶのだ。それを含めて本番と同じ制限時間内にやるのだ。それが練習というものだ。

セオリー 115 答えあわせの時、なぜそれが正解なのか、１問１問、納得し理解し、覚える。間違えた時はなぜ間違えたのか分析する

これをやらないでいくらたくさん問題を解いても意味はない。絶対にはずせないステップ。

少し大変だが、１つ１つ着実に自分のものにしていくのだ。**何がわかってないのか、何を覚えてないのか、**発見し、ノートに残し、同時に覚える。９００点目指してつま先から１点ずつ詰め込んでいく感覚で。

答えあわせもダラダラやらず、自分で決めた制限時間内にやる。その集中力が大事。時間を決めずにやると、特に深夜だと永遠に時間をかけてやってしまう場合がある。そんなのんびりやってる時間もないはずだ。クイックに。

もちろん、苦手な分野がはっきりしたら、**じっくりと文法の参考書やノートやカードを再度見なおし**してもいい。

僕は仮定法については何度も見なおし、カードに記入し、暗記しまくった。感覚で身につけてやるまでやった。**不得意だったからこそ、得意分野にしてお返し**してやろう。
苦手分野とは、問題を間違える分野とは限らない。練習問題は正解できても、どうもしっくりしない分野のことを苦手分野と呼ぶのだ。「正解さえすればいい」の発想ではない。

セオリー 116 何度も間違えた問題はポイントをカードにして頭に叩き込む

特に何度も間違える問題は、理解ではなく暗記の世界にしてしまうのだ。そのままではまた間違えてしまうのだ。カードにすればもう間違えない。

１５００問といっても、どんどん○が増え、×や△が減っていくのだから、大した量ではない。また、繰り返していくほど、新しい知識を入れるのではなく、確認の作業、左右の脳みそにすりこんでいく作業に変わっていく。どんどん気持ちよく正解していけるのだ。こんなのは苦痛でも何でもないはず。シーズン後半に打率がガンガン上がり続けていくようなものだ。しかも10割が目の前になってくるのだ。

これをやれば、文法のカンは自動的に身につく。本番で難しい問題は世界中の受験生にとっても難しい。やるべきことをやっていれば、自分のカンを信じて解けば正解するようになっているのだ。

セオリー

117 ＴＯＥＦＬは、本番のパソコン画面上で問題を解くことに慣れておく。本番のパソコン画面上の文字の級数（大きさ）・フォントに慣れておく

いつものように机に座って紙にプリントされているものを見て解くのと、パソコンを見ながら解くのとでは勝手が違う。**脳みそにかかる重力の方向**が違う。これは意外とインパクトがある。

また、ＴＯＥＦＬの本番では、リスニングとグラマーは、パソコン上に**びっくりするほど大きな、見なれないフォントの文字**が並ぶ。過去問のＣＤ－ＲＯＭで練習しておかないと面食らうだろう。

リーディング編

セオリー 118

問題集は良質の100パッセージを繰り返し読む

書店で、定評のあるリーディング用の問題集の中から自分の目で英文や解説を読んで選ぶことだ。最初にどさっと買わずに2冊ぐらい。

どんどん自分のリーディングアビリティはインプルーブしていくから、その時々自分が勉強したいと思うものを買い足していこう。

買い足した分を入れても合計200パッセージで十分。それを繰り返せばいい。もちろん毎回タイムを計って。制限時間内にできるだけ速く読むことはいうまでもない。

繰り返し読む100パッセージの選び方として、次をあげておこう。

📖「TOEFLリーディング問題270」(旺文社)…54パッセージ

- 「TOEFLリーディング」（SSコミュニケーションズ）…20パッセージ
- 「TOEICテスト　語法・文法・リーディング」（旺文社）
- 過去問

セオリー 119
本番の問題に使われそうなトピックについて、十分な知識が持てるよう、専用の問題集をやりまくる

パッセージ（問題の本文）で扱っているトピックに関し、**バックグラウンドの知識**があればあるほど理解はしやすい。特にTOEFLは学術系のトピックばかりだから。植物とか生物とか火山とかアメリカ文化とかアメリカ史とか。

TOEIC・TOEFL専用の問題集を数をこなすことで必要な知識は身につく。例えば息抜きにアメリカ史の本を読むのも楽しい。

特にTOEFLは、実際に本番で出てくるトピックと同じものが、市販の問題集で扱われていることはよくあることだ。まったく同じ内容が出なくとも、関連した知識があるだけで、文章への親しみやすさが違う。心理的にもはるかに楽なのだ。

セオリー 120 読むだけでなく実際に設問を解きまくる

問題のパターンは決まっている。それぞれのパターンでどうやって解けばいいのか、たくさんやって慣れているほうが確実に高得点が取れる。

選択肢が微妙でどちらでも正解になりそうな場合、どういう基準で正解を正解としているのか。わかってないといちいち悩むことになるだろう。

また、本番がどれぐらいの時間内に多くの問題を解かねばならないのか。そのためにどれぐらい速くパッセージ（本文）を読む必要があるのか。1パッセージにつき何分以内で多くの設問を解き終えなければいけないのか、

「1パッセージあたり解答時間含めて何分」という、目安の数字（後述）を持っていないと、本番ではペース配分がうまくいかない。途中で時間切れになるだろう。受験者の多くが最後まで終わらないのだから。

TOEICも特にTOEFLもとにかく猛スピードだ。脅威のテンションで**全力疾走**で読み、解く。最後に**少なくとも5分余らせ、**不安なところのみを見なおしする。

一度本番の試験を受けると、普段からの速読のトレーニングがいかに大事か、ストップウォッチがいかに大事かわかるだろう。本番のテンションに限りなく近いレベルで練習するのだ。

セオリー

121 自分のスピードを知る。どういう順番で解いていくのが無理がないのか。自分に適した解き方の手順を知る

ＴＯＥＩＣのＰａｒｔⅦ、ＴＯＥＦＬのリーディングセクションについて、パッセージ（本文）を一通り読んでから設問を読み解いていくのか、それともまず設問を読んでからなのか。

最初に本文を一通り読む時間が自分にあるのかないのか判断し、自分の解き方の手順を確立しておくべきだ。

たいていの人は最初に読む余裕はないだろう。僕は、結局、本文を最後まで読むことは一度もしなかった。絶対に最後まで終わらせたいから。できるだけ時間に余裕を持たせて進行させたいから。終わってないのに残り時間が少なくなると、焦りまくるのがわかっていたから。

時間に余裕がある時は、最初のパラグラフだけさっと読み、設問に入っていった。

通常の余裕がない時はまず設問を読んでから、尋ねられていることが本文のどこに述べられているのか**スキャニング**と**スキミング**で見つけて答えていった。このやり方でも十分に正解を見つけられる。

セオリー 122

スキャニングとスキミングの練習をする

本文をまったく読まずに問題を解く。その時、求められている情報がどこにあるのか、ザーっと斜め読みしながら探すのだ。そういう練習も普段から行うのだ。

実際の試験ではじっくり読む暇はない。**キーワードを長文の中から探すスキャニング**と**内容をザーっと眺めて理解していくスキミング**の連続だ。そして、**肝心なところだけしっかり読む**ことになる。

しかし、特定の単語を探すスキャニングはさておき、**スキミングは、読む力、速読力がなければできない。**

本番ではスキャニングとスキミングの連続だとしても、練習段階では速くしっかり読む練習をしておかなければハイスコアは無理と肝に銘じておこう。

スキャニングは本当にスポーツに近く、**練習すればどんどん速くなる。**

特にTOEFLは文章が長いうえにパソコン画面。しかも今どきプラズマディスプレー。バックライトも最大になっている。本当に目が疲れる。スキャニングで目を皿にしてワードを追いかける練習を普段から行い目を鍛えておかないと、目がしばしばしてやってられなくなるだろう。僕は初めてパソコンで受けた時、リーディングの後半になると乱視じゃないのに文字が二重に見えて大いに困った。**目薬持参**の受験生も多い。しかし、はじまったらさすがに余裕はない。

セオリー

123

（TOEFLのみ）パソコン画面上で英文を読み、問題を解くことに慣れる。TOEFLのパソコン操作の特徴に慣れる

文法でも述べた通り、顔をあげてパソコン画面上の英文を90分読み続けるのは慣れてないと少し面食らうだろう。下を向いて考えるのと前を向いて考えるのは、脳みそにかかる重力のベクトルの違いから、ちょっと何かが違うものだ。また、独特のパソコン操作方法にも過

去問のCD－ROMで慣れておく必要がある。

リスニング編

セオリー 124
本番気分で問題を解く。聞くだけでなく問題を解く

単に「聞いて理解できること」を求めているのではない。聞いたこと理解したことを1分ぐらい記憶保持していなければならない。そういうトレーニングのためにも問題を解くのだ。

セオリー 125
緊張感の中でリラックスして集中力を高めて聞く練習をする

勉強を真剣にやればやるほど、本番ではびっくりするほど緊張してしまうもの。普段から緊張感を高めて、その中でリラックスして聞けるようにしておく必要がある。

セオリー 126

一言一句聞き漏らさないようにしようとしない

よほどレベルが高い人は別として、**純ジャパニーズ**なら、塊でとらえ、全体で理解するようにしよう。一言一句聞き漏らさないようにすると、途中で引っかかって全体で何を言っているのかわからなくなる。

セオリー 127

選択肢を素早く読むように練習する

ＴＯＥＩＣのＰａｒｔⅢ、ⅣおよびＴＯＥＦＬのリスニングセクションは、聞くことだけの場ではない。設問を読まねばならぬのだ。聞きながらも読む。あるいは聞き終わってから再び瞬時に読む。自分がどちらの作戦で行くのかも決めておこう。

ＴＯＥＩＣでは、実際には、**問題が聞こえてくる前に、選択肢を見て、**これからどんな内容を話すのか心構えしておいたほうがはるかに有利。その意味でも超素早く読む力が問われるのである。

セオリー 128
過去問を分析し、出題者はどういうひっかけをしようとしているのか、パターンを把握する

どういう問題を出したがるのか、多くの過去問をやり、感覚的に分析するだけで、出題のパターンが見えてくる。

ちなみに、問題を聞かずに、選択肢を見ただけでおおよその正解がわかる、というレベルまで引き上げることもできるのだ。例えばＴＯＥＦＬは数字がらみの選択肢は正解でないとか。例えばＴＯＥＩＣのＰａｒｔⅡでは「Why…?」できたら「Because…は正解でない」とか。

セオリー 129
わからなくても悩むことに時間をかけないで、さっさと決断し、頭を切り替え、次の問題に集中する練習をする

前の問題のことでいちいち悔やんでいたら、次の問題は確実に聞き取れない。わかっていても慣れないとどうしてもそうなるだろう。
未練がましくなるな。さっさと次に切り替えよう。

セオリー 130

二重否定を完璧にしておく

簡単な単語しか出てこないのに、あるいはそれまで全部内容を理解できたのに、二重否定がきたために、肯定なのか否定なのかとっさにわからなくなってしまうことがある。「えーっと二重に否定してたから……」なんてやってたら、当てずっぽうになることは間違いない。二重否定を感覚でわかるようにしておくのだ。

セオリー 131

過去問により、出題者の声・しゃべり方に慣れる

2章で述べた通り。重要だ。過去問はＥＴＳから買えるものはすべて買い、聞きこむこと

だ。特に試験が近づいてきたら、毎日彼らの声を聞いてあげよう。

ライティング編（TOEFLのみ）

TOEFLで最も集中力と気合を要するセクション。0・1秒も無駄にできない、30分間全力疾走のセクションだ。それまでのセクションで疲れきっているところで最後にやってくる最大の山場なのだ。

ライティング単独では6点満点。0・5点刻み。

ライティングの点数は文法のセクションに含まれて点が出される。すなわちせっかく文法で高得点を取ってもライティングが低いと、文法セクションの点数は期待できない。そうなると総合点も期待できない。

トレーニングせずに素で受けたら、よくても3・5から4点であろう。それでは合計でハイスコアを取ることは無理。

ライティングで5・5点、少なくとも5点は取らないといけない。一流大学院には5点以上の条件がある。

5点以上を取るためには30分の制限時間内に、**構成がETS好みにしっかりしていて、文**

法に間違いがなく、イディオムも使っていて、多少難しい単語も使っていて、スペルミスが少なく、分量も20行以上のもの（本番の解答記入用紙の2枚目の3分の1までいく量）を書かねばならない。気合を入れてトレーニングする必要がある。

6点取るには相当の実力が必要だ。僕は取れなかった。しかし、5点以上は確実にコンスタントに取れる必殺技がある。それを述べる。

セオリー 132
TOEFLのエッセイに独創性は不要。完全に割り切ってパターンと型にはめる

セオリー 133
TOEFLで出題されるライティングの155個のテーマ（問題）を4つのタイプに分け、「各タイプごとの、望ましいとされるエッセイの構成」を把握する

ＴＯＥＦＬで出題されるライティングのテーマは全部で１５５種類と決まっている。

そして、それらは次の４種類に大別される。すなわち、

- Agree or Disagree（AD） 51問「賛成か反対か述べ説明せよ」
- Stating a Preference（PR） 52問「Aはこう言いBはこう言う。あなたはどっち」
- Giving an Explanation（EX） 34問「これこれについてあなたの考えを説明せよ」
- Making an Argument（MA） 18問「あなただったらどうしますか」

4つのタイプそれぞれによって、ETSが望ましいとしているエッセイの構成は決まっている。それをまず、頭にしっかりインプットしてしまうのだ。

その前に、与えられたテーマが先の4つのどのパターンのテーマなのかは、教えてくれない。自分がテーマを見て、どのパターンなのか判断しなければいけないのだ。

そこで、まず、

セオリー 134 155種類の出題テーマを熟知する

単語は一生懸命覚えても、155しかない出題テーマを熟知している人は非常に少ない。もったいない。

そして、

セオリー 135

テーマを見たら、瞬時にどのパターンか判断できるように

パブロフの犬にしてしまえば最もいいが、まずは次のように感覚的にとらえてしまおう。ADとPRはすぐにわかるだろう。

AD

「賛成ですか、反対ですか」「支持しますか、反対ですか」「なぜそう思うのですか、なぜそう思わないのですか」「あなたはどっちが効果的だと思いますか」

PR

「ある人はこう言います。他の人はこう言います」「どちらの意見に賛成ですか」「どちらがいいと思いますか」「これらの意見を比較しなさい」「AはBとどう違うのですか」

問題はEXとMAの違いだ。Describe…Explain…とダイレクトに聞いてくれればすぐにE

Xだとわかるが、いつもそうとは限らない。

EX

自分が何かをするのでなく受動的なこととして何が大事か、何を学んだか、どんな効果があるか、どんな違いがあるか、どんな効果をもたらすか（effect）、などをやや客観的に聞いてくるのがEX。

MA

一方、MAは、どう変えたいか、どれにフォーカスすべきか、何をするべきか、何をしてあげられるか、どんな影響を与えるか（affect）、など、能動的に考え自由に議論しろというものだ。

セオリー 136

各パターンごと、望ましい構成の型を確実にインプットしておく

表にまとめておいた。微妙な違いに注目してほしい。この微妙な違いが重要だから。

必殺！　ライティングエッセイ　問題タイプ別構成の型

EXタイプ
「あなたの意見を説明せよ」系

第1パラグラフ
私はこう思う。と結論を言う。その理由3つを超簡潔に述べる。

第2パラグラフ
理由1を説明する。

第3パラグラフ
理由2を説明する。

第4パラグラフ
理由3を説明する。

第5パラグラフ
以上のように、私はこう思う。なぜならば1、2、3の3つの理由からだ。と結論と理由を再度言う。ちょっと発展させたことを述べればなおよい。

ADタイプ
「賛成か反対か」系

第1パラグラフ
私はこう思う。と結論を言う。（確かにこういう考えもあるが、でも私はこう思うのだ。）理由1、2、3だから、私はこう思うのだ。

第2パラグラフ
理由1を説明する。

第3パラグラフ
理由2を説明する。

第4パラグラフ
理由3を説明する。

第5パラグラフ
以上のように、私はこう思う。なぜならば1、2、3の3つの理由からだ。と結論と理由を再度言う。ちょっと発展させたことを述べればなおよい。

MAタイプ
「あなたならどうする」系

第1パラグラフ
私ならこうする。と結論を言う。その理由を超簡潔に述べる。

第2パラグラフ
どうしてそう思うのか理由の理由1を説明する。

第3パラグラフ
どうしてそう思うのか理由の理由2を説明する。

第4パラグラフ
どうしてそう思うのか理由の理由3を説明する。

第5パラグラフ
以上のように、私はこう思う。なぜならばこうだからだ。と結論と理由を再度言う。そうなったらこのようによいだろう。とちょっと発展させたことを述べる。

PRタイプ
「ABどっちがいいと思うか」系

第1パラグラフ
結論をいう。Aはこういうよいこともあるが私はこう思うのだ。（1、2、3だから、）私はこう思うのだ。

第2パラグラフ
理由1を説明する。（確かにこういうよいこともある。）だが私はこう思うのだ。

第3パラグラフ
理由2を説明する。（確かにこういうよいこともある。）だが私はこう思うのだ。

第4パラグラフ
理由3を説明する。（確かにこういうよいこともある。）だが私はこう思うのだ。

第5パラグラフ
以上のように、私はこう思う。Aはこういうよいこともあるが私はこう思うのだ。と結論を再度いう。ちょっと発展させたことを述べればなおよい。

セオリー

137 正解例の本を入手し、最低2回は全部読む

正解例が載っている本は、

「HOW TO PREPARE FOR THE COMPUTER-BASED TOEFL ESSAY」
(BARRON'S)

これがよかろう。

ややフォントは見にくいが、正解例をしっかり2回は読むのだ。頭に叩き込むのだ。どのパターンの問題かも、整理していきながら。もちろん暗記する必要はない。パターンを理解し、パターン通りに展開していることを押さえながら読むのだ。

もちろん段落の書き出しをどれぐらい空けるかなど英文エッセイの基本の基本も身につける。

さらに、

セオリー 138

その問題が出たら、自分だったらどういう意見で、各パラグラフでどういうふうに展開していくか、考えながら読む

正解例とまったく同じでもいいが、覚えられないだろうし、それほどレベルの高いことを書かなくてもいい。自分だったらどうするかは全問、一通り考えておけば忘れようがない。

セオリー 139

各テーマで何を書けばいいか、すぐに頭に浮かぶようにする

のだ。

本番で、「さて何を書こうか」と、いちいち考える余裕はない。30分は本当に短い。書きたいことを、書いたり、タイプするだけで途中で終わってしまうほどの時間しかない。文章の長さが短ければスコアは低いのだ。少しでも長く書くべきなのだ。だから考えてる余裕は本当にないのだ。

よく参考書には「最初の5分でしっかり考えよう」とあるが、信じられない。5分も考えてたら書く時間が足りないというのが実情だ。少なくとも僕はそうだった。だから事前に考えておく必要があるのだ。

セオリー

140

実際に自分で書いてみる。そして正解例を見ながら自分で納得できるレベルに推敲する。そしてもう一度見ないでやる。これを各パターン最低3つはやる

こういった地道な手続きが大切なのだ。

セオリー

141

書き出しや、展開の仕方など自分が常に使うフレーズを自分のものにする

第1パラグラフの書き出し、理由の述べ方、第2、第3、第4パラグラフの書き出しや述べ方。そして第5パラグラフの結論の書き出し、結び方。どれも自分のパターン、フレーズができあがってくるだろう。第2～第4パラグラフの書き出しを動名詞ではじめるとか。第

5パラグラフをAll in all,ではじめるとか。
絶対に文法的に間違いのないようにチェックして。お得意のパターンを作ってしまおう。

セオリー 142 英語を使いなれてる人っぽい、小粋な表現、形容詞、副詞を使う。ど素人っぽい表現を避ける

中学生っぽい表現は文法的に間違ってなくてもなしだ。高得点を狙えない。

例えば、「But I think …」とかはやらない。それならば、「I, however, think …」とちょっと工夫するだけで小粋になり、「こいつやるじゃないか」となって、点数が上がるのだ。せめてbutの代わりにyetを使うとか、becauseの代わりにsinceを使うとか。whileのかわりにwhereasを使うとか。

正解集などを見ながら、楽しみながら**自分で推敲**していくことで、どんどん小粋な表現を自分のものとしていくことができる。

またイディオムはもちろん、形容詞、副詞も、moreoverとかwhereasとか、intrinsicallyとか、多少難易度の高いものを正解例からいただいて、お得意の表現にしてしまう。それがあるかないかで見た目の印象は全然違うのだ。スコアも違う。

セオリー

143

30分の時間内で練習しながら、自分はタイプするのか、鉛筆で書くのかを決める

どちらが有利ということはないだろうが。それぞれの長所短所はある。どの本にも書いてあるので省略するが、鉛筆は芯が軟らかく、2本しかくれない。すぐに丸くなってぐちゃぐちゃになる人が多いと想像する。僕は小学生の時のノートのようなできばえであった。懐かしさと同時に「しまった！」と思った。腕も本当にツリそうになって、それでもちゃんと点数はくれた。

タイプで打つなら速く打てるように練習しておかないと。意外とタイプだと遅いものだ。

本番の反省

ＴＯＥＩＣ・ＴＯＥＦＬ本番の試験を受けたら、しょげかえったり、解放感から憂さ晴らしに遊びに行かずに、その日のうちにきっちり反省と分析をしておく。次の日に遊びに行ってくれ。そこがプロとアマの違いだ。

セオリー

144

その日のうちに弱点を分析する

時間が足りなかったのはどのセクションか。なぜ時間が足りなかったのか。どんな問題がわからなかったか。何がわかってないからわからなかったのか、何ができてないからわからなかったのか。記憶と悔しさが鮮明に残っているうちにやろう。

セオリー

145

頭がホットなうちに、あやふやだった分野の文法をやる。リスニングやリーディングをやる。疲れてるけどやる

3時間以上、思いっきり集中してきたのだから、頭も身体も疲れているだろう。しかし、頭はベストの「英語モード」になっているのだ。テンションも上がっているはずだ。英語の勉強に最も適した状態になっているのだ。その状態の時こそ、一気に攻めこむのだ。

時間内に終わらなかったり思ったよりできが悪いと、試験が終わったらしばらく英語から離れたいという気持ちになるかもしれないが、非常にもったいない。悔しさをバネにしよう。

第4章

TOEIC/TOEFL

本番の受け方・テクニック編

勉強のやり方の参考にするため、そして本番の緊張感を知り、テンションを高めるためにも、今のうちからどんなテクニックがあるのかを知っておくことは意味がある。

受け方やテクニックをものにするだけで、TOEICなら30点、TOEFLは10点から15点ぐらいは違うのではないかと思う。しかし、実力がそなわってないと、テクニックを駆使しようと低いレベルでのお話にしかならない。

それではTOEICから述べよう。

TOEIC編

TOEIC【PARTⅠ】

1枚の写真について4つの例文が読まれる。どれが正しく描写しているものかを選ぶ。

・聞きながらその都度○か×かを判別していくことだ。耳を澄ますと、どこからか他の受験生の○をつける鉛筆の走る音も聞こえてくるはず。わからなければそれも頼りにはなるだろう。

TOEIC【PARTⅡ】

男女の会話。問いかけに対する3つの答えの中からかみ合っているものを選ぶ。

・内容をしっかり把握することがポイント。「Why…?」できたから「Because,…」というのはたいてい正解ではない。そういう中学1年の試験のような単純な形ではなく、内容をととらえることがポイントとなる。

TOEIC【PARTⅢ】

男女のA↓B↓Aの会話。設問を読んで選択肢から答えるもの。
前述の通り、速読も要求させる。
・まずは設問を読んでから、答えを探しながら会話を聞くことがポイント。選択肢までは先に読まないことだ。会話を聞いて答えがわかっている状態で選択肢を読み、答えを選ぶ。先に選択肢まで読むと、頭が混乱する人もいるだろう。時間は十分にあるから焦る必要はない。
・正解と思われる選択肢を見つけたら、時間が余ってしょうがない時以外は残りの選択肢は見ない。次の問題に備える。

TOEIC【PARTⅣ】

ショートトークを聞いて、2つから4つの設問に答える。
・当然、トークを聞く前に設問を読んで、どんなトピックなのかを、ある程度把握した状態で聞くようにする。

・トークの内容を一言一句聞くのではなく、全体でとらえる。いちいち日本語に訳さず**映像を頭に浮かべながら聞く。**
・トーク中は聞くことに専念したほうがよかろう。

さて、ここまでがリスニングセクションだ。

前にも述べた通り、集中するのはいいが、緊張して硬くなって眉間にしわを寄せ身体をがちがちにして聞いてしまいがちだが、それは絶対に逆効果。

「自分は今日は脳みその調子がいいな。いつもより聞き取れるはずだぜ」と言い聞かせ、希望に満ちた**ノッてる気分でリラックスして身体に力を入れないで聞く**ほうがいい。

僕は、真剣になりすぎないようにわざわざ足を組んで足でビートを刻んだり、三塁の守備についてノックを待つ気分で体を左右にゆすりながらリスニングに臨むようにしていた。気分がノッている時、運動神経が敏感になっている時のほうが特にリスニングは明らかにスコアがいいものなのである。リラックス。

また、わからなかった問題をくよくよ悩まない。特にＴＯＥＩＣは数問間違えたってどうってことない。頭を次に切り替える。

TOEIC【PARTⅤ】

語彙と文法、語法の問題。空欄の穴埋め。

・1問につき30秒以内、40問で20分以内でやる。

・文脈の中でふさわしいものを選ぶ。あてはめて全体の意味が通るものを。

・迷った問題は印をつけて、先に進もう。1問に時間をかけすぎてはいけない。練習問題をたくさんやればパターンがつかめてくるから問題ない。

TOEIC【PARTⅥ】

文法・語法の間違い探し。

・1問につき30秒以内、20問で10分以内にやる。

まず構文をつかむこと。実戦形式の練習をやっておけばまったく問題はない。

TOEIC【PARTⅦ】

リーディング、表読み。40問。

このパートに45分をかける。実際には35分から40分で終了し、少なくも5分は見なおしをする。

時間配分が極めて重要だ。そのために必要なことは、

・全力疾走でやる。

・ざっと200番までのすべての本文（問題文）を見て、簡単そうなものに印をつけ、簡単なものからやっていく。

・悩んでしまった設問は**印をつけて後回し。**

・本文から読まない。まず設問を読んで、何を尋ねているのか把握してからパッセージを読む。というより**スキャニングおよびスキミング**する。**サーっと眺めて答えとなる情報を見つけ出すことに徹底する。**

・じっくりリーディングしない。読みたくなるが、気持ちをおさえて**答えを探すことに専念する。**

・簡単な問題は15秒でできるだけ速くやり、難しい問題に時間をかけられるようにする。難しいものでも1分以内で答えていく。

・選択肢をよく読む。選択肢ＡＢＣＤはどう違うのか。その**違いをはっきりととらえて**答えを探す。

TOEFL編

TOEFL【セクションI】

リスニング。レベルが上がってくれれば、TOEICとは比較にならない長く速い問題も出る。

TOEICとちがって、自分で次の問題に進むタイミングを決められる。

・問題を全問解けることが基本だ。残り時間と残り問題数を敏感に注意しておく。悩みすぎない。

・**画面を見ない**ようにする。画面は横目で0・1秒見れば十分。下手に画面を見るとその情報に惑わされ、聞けなくなることが多い。横の壁でも眺めていよう。

・**最初の数問が超重要。**ここで連続して間違えると、レベルが低いと判断され、後からの挽回が、リスニングに関しては不可能になってくる。最初の数問は選択肢もよく読み、多少時間をかけてでも何としても正解せねば。

・そのためにも、**リラックスして心理状態もいい感じになってから、ENTERキー**を押しスタートさせることだ。緊張しすぎていたらスタートさせなければいい。自分のタイミングでスタートだ。
・正解が続けばますます難しい問題になっていく。その時は、「しめしめ」と思うことだ。そしてますますノッていくことだ。難しい問題であればあるほど間違えてもダメージは少ない。
・数字を尋ねる選択肢は正解でないといわれている。
・問題文と同じ表現の選択肢は正解でないといわれている。
・明らかに「これだ」という正解を見つけたら、時間的によほどの余裕がある時以外は、**他の選択肢はもう読まない。**次の問題に進む。
・目標は25点だ。

TOEFL【セクションⅡ】

文法。
・これも制限時間内に終わることが大前提。
・1問30秒ペースで、パソコン上の時計で残り時間と残り問題数を常に気にしながら。

・また、リスニング同様、**最初の数問は絶対に間違えない**ように慎重に選ぶ。

・リスニング同様、正解が続けばレベルが高いと判断され、どんどん難しい問題になる。「しめしめ」だ。超難しくなれば「しめしめしめしめ」だ。これまでの努力で培ったカンをさえまくらせてやっていこう。絶対にスコアは29か悪くとも28はいくはずだ。

TOEFL【セクションⅢ】

TOEICとは比較にならない長いリーディング。

ミニ休憩中に、リフレッシュしておく。そして90分の全力疾走を誓う。硬くならないように。

5つのパッセージで各10から15程度の設問に答える。

・1つのパッセージは短いもので10分、長いもので15分が目安。

・**とりかかるパッセージは順番通り**がいい。コンピュータの操作上、混乱しなくていいように。

・まず、とりかかるパッセージがどれぐらいの長さなのか、何問の設問があるのかをぱっと見る。そのために、**まず本文を一気に一番下までスクロールする**必要がある。ちなみに本文を下までスクロールしないと、設問部分の画面がスクロールしてくれないのだ。

・パッセージの長さと設問数がわかったら、**その問題を何分以内でやるのか**、10分から15分の中で目安をつける。そして設定した時間内でできるように全力疾走する。

・**各パッセージの1問目は、たいてい趣旨を尋ねる問題だから、後回しに**する。2つ目の設問から取り組む。

・設問を読み、何を尋ねているのか把握してから本文に目を通す。スキャニングとスキミングで求められている情報を探す。もっとも第1パラグラフはしっかり読み、**何を書いているのか事前に把握**しておいたほうがラク。各パラグラフの第1センテンスは、その段落のトピックセンテンスだから重要。

・各設問を読み、求められている情報を**スキャニングとスキミング**で探す。設問に答えていきながら本文の内容を把握していく。

・悩んだ設問は、絶対に悩みすぎず、ライティング用にもらったメモ用紙と鉛筆で、**ナンバーを控えておく。**

・単語の同類語問題は、あくまでも**その文脈の中での意味**で判断する。

・5分以上は余らせ、控えておいた悩んだ問題に戻って吟味する。それ以外の問題は見なおしの必要はない。そんな余裕はない。試験中、パソコン上の時計を何度も何度も見ることになることはいうまでもない。最後まで終わらないということは絶対に許されない。

・全部納得した答えを出せるように。目標は少なくとも28点。

TOEFL【ライティング】

3章で述べた通り。はじめるまでにミニ休憩タイムがある。セクションⅢまでのできがどうあれ、気持ちを切り替えて再び全力疾走するモードに切り替える。「もうだいぶん終わった」ではなく、「これからが最大の出場なのだ」と言い聞かせる。

・鉛筆の人は、はじまる前に、**「もう2、3本鉛筆くれませんか」**と係りの人に聞いてみよう。もらえたらラッキーだ。もらえなかったら、それがルールだ。

・問題をよく読み、**4つのパターンのうちどれなのか**を間違えずに判断する。**絶対に間違えない。**

・**最初の3分**で、各パラグラフに何を書くか、**メモ用紙に記入**する。十分な準備により、問題を見たらすぐに書く内容が出てくるようにしておくことが最大のポイント。

・各パラグラフで書く内容を確認したら、全力疾走で書く。書くことは決まっているのだから。欲を出してその場で思いついた論理展開をする必要はない。**アイデア力のテストではない。**アカデミックライティング型にはめたライティングができるかどうかのテストだ。

・スペルミス。文法ミスに最大の注意を。

・得意の書き出しやフレーズ、形容詞、副詞、イディオムなど、**小粋な表現**を、できるだけふんだんにとり入れる。中学で習う単語以外をできるだけ使おう。

・書き出しは5文字目から。

・**できるだけ長く**なるように。2枚目の3分の1まで書くのだ。鉛筆の人は小さい字でちまちま書かない。スペースも十分に空けてのびのびと。とにかくたくさん。しかし時間内に必ず終わるように。

・残り5分から3分は絶対に**見なおしの時間**を持つこと。

・残り0秒まで集中しまくって。スペルミスや前置詞の抜け、三単現のｓのつけ忘れや時制の不一致が必ずあるから。

第5章

TOEIC/TOEFL

試験直前の過ごし方

勉強をはじめたばかりでは、試験のための調整はそれほどする必要ない。とにかくガンガン勉強することだ。

しかし、勉強を3ヶ月続けたら、次の試験は勝負の試験だ。一通りやることはやってきたはず。

勝負をかけるためにも、「何月の試験を勝負にするのか」、明確に決めておくのだ。「実力がついてきたら勝負しようかな…」ではない。今はTOEIC300点でも、TOEFL150点でも、あるいは受けたことがなくても、**勝負の月を設定**せよ。3ヶ月、長くても5ヶ月で勝負をかけよう。それ以上では緊張感がないし、集中力がもたないだろう。

もちろん1回で目標スコアが出るほど甘くはない。しかし、設定するのだ。そしてその次の月も勝負なのだ。

試験はまさに、スポーツの決勝戦と同じだ。

プロのアスリートが全員そうするように、当日のその時間に、体調も頭も気分も絶好調になるように、バイオリズムをピークに持っていくのだ。そうやって自分をノセていくのだ。

僕の場合は、緊張で当日2日前から眠れなくなるほど気合を入れて受けていた。

1ヶ月前

カレンダーと手帳で、当日までのスケジュールを確認しよう。できるだけ、1週間前からは、残業や会合などに行かなくていいように調整しよう。やっておかなければいけない仕事など、早めに片付けられるようにスケジュールを組むのだ。

またプライベートでもややこしくなることがないように、パートナーに理解を求めておこう。

「○月○日。午前（後）○時。どうしても負けられない**果たし合い**があるのだ」と。

しかしストレスをためることは非常によくない。心躍るしかるべき会合には、試験を忘れて出かけていくのだ。それが**現代のアスリート**だ。

もちろん、カード作りや練習問題など、超睡眠不足になりながらガンガンにやっているべき時だ。

また、問題集をガンガンやりながらも、本番形式の模擬試験も自宅でいいからやっておくこと。TOEFLの人はCD－ROMでも必ず確認しておこう。

リスニングもまだまだ伸びる。直前に階段をもう1歩上がれるように。集中して聞き続けるのだ。やることはいっぱいあるが、世界中が1日は24時間。平等だ。頑張ろう。

2週間前

この時点で、**暗記カード作りは一旦終了**。これまで作ってきたもので勝負するのだ。

1週間前

試験の時間がいちばん頭と運動神経がさえまくるように、**時差調整**に入る。

まだパブロフになりきれていない△ないし×の文法問題をやる。1週間前の緊張感を利用して叩き込む。

すでに何度も読んで読みなれた長文を確認気分で読みこむ。さらさらと。一度に大量に。頭から読みこなしていきながら、自信を持つ。スキャニングとスキミングの確認で問題も解いてみる。

過去問題のリスニングテープを文字通り聞きまくろう。1日3時間ぐらい聞けたら最高だ。出題者の声に慣れまくろう。どんどん親しみを持とう。もう他の人の英語は一切聞かないほうがいい。

カード大会もやりまくる。

3日前

暗記カードの最終チェックに入る。もちろん200%のものはもう見る必要もなかろう。1回に3時間ぐらいぶっ通しでチェックに入る。強烈なテンションでやろう。絶対にその単語がその文法が、そのイディオムが、本番で出るから。基本的にはこの日1日で最終チェックを終える。

どうしても覚えられないものも当然あるだろう。それ以外はカードを大切にしまおう。覚えられなかったものだけ、翌日にもチェックをしよう。

長文は少しだけ読む。あまり大量に読まない。**英文に飢えた状態**を当日作りたい。

2日前

やれることはすべてこの日までにやってしまおう。前日は余裕で過ごせるように。○がついている文法問題なども目を通して。ごく簡単な問題を**うっかりミス**しないようにする。

前日

リラックスが一番。当日のリラックス具合と集中度でスコアは確実に違うから。前日に無理して詰め込むのは大反対だ。

仕事やプライベートなど、実は抱えている悩みは尽きないだろうが、これからの24時間は、完全に忘れよう。希望に満ちあふれてスコアをゲットすることだけに専心しよう。そして、英語力が不安になる要素があることはしないこと。例えばCNNを見るとかはしない。

そして、魚かパエリアでも食べて寝よう。

当日朝

早く起きる。軽く身体を動かしてならす。いよいよワールドシリーズ最終戦だ。コーヒーとチョコレートは欠かせない。会場へ向かう途中のコンビニで、キットカットを買い求めよう。「きっと勝つ」ために。

会場には絶対に早めに行く。会場が意外と駅から遠いことが多い。ぎりぎりで焦ることのないように。

電車の中では当然、彼らのテープを聞いていく。

朝の食卓や電車の中など、朝からもし不愉快なことがあっても、さらっと流すこと。絶対に不機嫌にならないこと。気分よく試験を受けるのだ。何としても。

はじまる直前

テープを聞いたり、文法を見なおしたりしながら、気合が入りつつもリラックスして過ごす。

コーヒーを飲みすぎると、途中でトイレに行きたくなる。事前に行っておこう。

リラックスすることを忘れるな。会場の係りのお姉さんと軽く会話して。好印象を与えたら、スピーカーの聞き取りやすい席をこっそり教えてくれて特別に座らせてもらえることもある。

最後のおさらいは早めに切り上げ、心を落ち着けることに集中だ。周りの人はぎりぎりまで単語集を見てるかもしれない。しかしきみはもうやることはやってきたのだ。あとはこれまでのすべてを問題にぶつけるだけだ。燃えろ。

試験中

文字通りリラックスしつつも全力集中。1点でも多くとろう。でもリラックスを心がける。「さぁこいっ！」と、ワクワクしながら問題に取り組もう。

もし途中でイマイチに感じても大丈夫。そう感じる時のほうがスコアはいいものだ。冷静になれている証拠だ。絶対に気落ちしてはいけない。完璧なんてありえないから。最後の瞬間まで燃えろ。

第6章

TOEIC/TOEFL

心の底からやる気になるには

いろんな人に出会い、何かを感じ、心を震わせよう

英語はできないとだめ。英語ができると転職が断然有利。

そういう世の中になりつつある。それで素直に「さぁやるぞ！」と、燃えられる人はいい。

しかし、できなくたって生きていける現実があるのだから、多くの人は、会社のルールで脅迫されるか、頭と心で納得するか、あるいは理由がなくとも自分から湧き出る思いで勉強したいと思わないとできないものだろう。


義務感で勉強したとしても、モチベーションは低いまま。だらだらＴＯＥＩＣを受け続けても７００点以上には伸びないだろう。

心からやる気になるために、まずは次の方法を勧めたい。

アメリカに１週間以上旅行に行く。

いろんな人に会う。

みんなが価値観の似通った日本を飛び出し、そこで生きている人たちや、世界中から集まっている人たち、活躍する日本人などに触れ、何かを感じるのだ。

「彼らとコミュニケーションしたい！」

「彼らのように世界を舞台に生きていきたい！」

また、国内でも、英語を武器の1つとして生きている人に直接会うのだ。憧れや、野心や、羨望…。何でもいい。頭で考えるのではなく、心が感じるかどうかだ。心が震えるかどうかだ。僕の場合は、ハーバードのケネディスクールに訪問した時、全身に稲妻が走った。「絶対にここでこいつらと勉強する」と。

出会いだけでなく、別れも心に火をつける。

「世界で活躍したい」そう言って熱心に勉強していた若い友人が他界した。いつかは本気で勉強しないと。と思っていた僕は、残されたものとして幸運にも生きてるんだから彼らの分まで絶対にやるぞと誓った。

しかし、心が震えても、それで本当に燃えられる人は、心が若い人だけだ。大人になればなるほど、願望だけでは突っ走れなくなる。目的やその先のビジョンがよぎる。

自分一人で生きてるわけじゃない。守るべきものを守れるのか。責任は果たせるのか。

だから大人こそキャリアデザインが重要なのだ。

他人を納得させるためではない。自分を納得させるために。自分の生き様に責任を持ったために。

自分の人生と、自分を取り巻く環境を、残りの数十年の人生の中でどうしていきたいのか。そしてどうしていくべきなのか。そうしなきゃいけないのか。

人生はロジックだけでは構築できないのだから、具体的な緻密なビジョンなど必要ない。誰かに見せるビジョンもいらない。

パッションとデザイヤーとストラテジーとデスティニーを兼ね備えた、自分が納得できる絵を描くべきだ。そしてその中で、英語ができることはどれだけ重要な要素なのか。

それ以上の緻密な絵を描きたいなら描けばいい。描けるものなら描いてみよ。しかし忘れてはいけない。それ以上の緻密な絵は、あふれるほどのものに囲まれ、甘やかされて贅沢に生きてきた現代人の多くにとって、どんなに描きたくても、我究でもしなければ描けなくて普通なことなのだから。特にキャリアが浅いうちは。

緻密な絵が描けなくて動けないなら、絵が描けないことを責めるのではなく、己に勇気がないことを嘆くべきだ。

悩むことは生きていくこと。純粋にすばらしいこと。アバウトであれ自分で納得のいく絵を描くためにも悩むことは不可欠だ。しかし、ここで悩みすぎてはいけない。悩めば悩むほど、前へ進めなくなる。確信の持てるものなどめったにないから。

僕たちはどこへ行こうと絶対に逃げられないしがらみを引きずり生きていく。アバウトであれ、心配しすぎずに前へ進もう。自分が大人であることを信じて、もがき苦しみ、しっかり悩んだと思えたならば、それでも抱える矛盾の中で感じることを信じて進もう。

転職や留学エッセイ、親への説得などには、他人を納得させるロジックも具体的なものも必要となる。

実際には、新しい世界で新しいものを見て感じて、その中で絞り込んでもいいことだ。しかし、その前にいろいろ提出せねばならない。いろいろ説得せねばならない。人に伝わる具体的な言葉にせねばならない。

だとすれば、自分の経験を生かせる道。自分を客観的に見て、その経験をもったその人を上手にプロデュースするように仮のビジョンを設定するのがいいだろう。そう、気を楽にして設定してみよう。それが自分の絵とかけ離れたものにはなりえないだろう。自分の絵の一部になりうるものだろう。

もし、悩んでも悩んでも自分の絵が描けないなら、当面はそのビジョンで突っ走ってもいいだろう。

きみがシンプルでなければないほど、きみが欲張りであればあるほど、そしてきみに甘やかされて無責任ゆえの勇気があればあるほど、一方できみに決定して飛び込む勇気がなければないほど、緻密な絵は描けないのだ。決められないし、絞れないのだ。まだまだ自由でいられると思いこんでいるのだ。そしてそれが通用しているのだ。

いい悪いではない。それが現実だ。

英語を好きになるにはどうすればいいか

アメリカに旅行する。日本でも外人と話す。

僕は何度六本木のバーへ行ったか。英語を使うのが楽しくて、もっと使えるようになりたい気持ちを確かめに（?）、後輩たちと内緒で何度も行きました。そして明け方、やる気倍増で帰ってきました。

また、自分で誰かに文章を書くことも有効だ。

外人の友人からメールが来て、ワクワクしながらそれを読み、一生懸命返事を書く。そして返事がくる！…「You've got a mail」の世界がそこにある。気づけば僕のメールはＡＯＬ

に変わっていた。

ライティングの型なんか忘れて自分の思いを自由に表現してみよう。

正解があるスコアアップの勉強に、少々飽きていた時のこと。あるテーマで自由に意見を書きなぐってみたことがある。何枚も何枚も。めちゃくちゃに。ライティング的には完全にノーグッドでも、僕は目の前が晴れた気がした。「英語って楽しい」と心から思った。

実際会ったり、メールをやりとりしたり、英語をツールとして心が触れ合う機会を自分で作ろう。映画以上にどきどきするよう友達をつくろう。積極的に。

日本では、他人に声をかけるのは不謹慎とされがちだ。特にそれが異性なら。しかし、僕の知る限り、アメリカではまったくそんなことはない。話しかければ99％笑顔で返してくれる。

今はブロークンでも、積極的に心を通わそう。一歩突っ込んで自分の意見を語ってみよう。

僕がアメリカに来て最も感激したことを最後にお話させていただく。

日本では本音が違ってもたいていの場合意見を合わせる。「そうだよね」で落ち着くことになっている。それが礼儀とされている。それはそれでほっとする。

しかし、アメリカでは違った。いくらでも議論になる。言い合いになる。内心言いすぎたかなと思っても全然大丈夫。向こうも言いたい放題言ってくる。映画と同じでものすごい形相になりながら。

そして言い合いがひとしきり続くと、必ず仲良くなれるのだ。僕のことを人として愛しているのが伝わってくるのだ。感情が強く、どんなに議論しても、その分仲良くなれるのだ。意見のぶつかり合いと人間同士としての感情は別なのだ。それはそれは気持ちのいい世界だ。

もちろん僕は仲良くなっても譲りはしない。相手が疲れて納得するまでオーバーアクションで説得してやった。

おわりに

やろうやろうと思っていても忙しさにかまけてなかなか本気モードで取り組めない。気づけば35歳になっていた。

一旦やる気になっても、英語は楽しまなければ伸びない。だからこそどんなに真剣でも、楽しめる要素を持たなければ。でもどうやったら楽しくなるのか。僕もそれで格闘した。

この本は、まず楽しく読めて、やる気になる本を目指した。時間を強引に捻出できるように。時間を有効に使えるように。途中から夢中になって勉強できるように。

時々不謹慎に感じる部分があったとすれば許してほしい。遊び心を持ちながら、真剣に取り組んでいただければ幸いである。

9年間、幸福な生き方とはどういうものか。人はどう生きていくべきか。社会とは何か。どうあるべきか。2500人以上の方々と我究館という場をかりて真剣に取り組んできたつもりである。そしてそれを考えれば考えるほど、自分の未熟さと無知さに気づき、日本を飛び出したい衝動にかられていった。

本当はそれだけじゃない。青春時代の幻を追いかけたかった。もっとワクワクしたかった。そして、自分のやってきたことに落とし前をつけたかった。まったく逆で逃げ出したい気持ちもあった。同時に、あいつらの分までやらねばと思った。

ラストチャンスだと思った。悩んだ末、湧き出る想いと責任との葛藤でぐちゃぐちゃの心境で日本を飛び出した。


他の国もそうであるように、日本の常識はあくまでも日本の常識。

僕はこちらに来て、この年でも価値観がどんどん変化していった。同じ世界にいたら絶対に変わらなかったであろうことが。井の中の蛙とはまさに僕のことだった。

広い視野に立ち、この国と自分自身の進むべき道を見つけていこうではないか。

世界の人たちと堂々と自分の言葉で対等に語り合おうではないか。

社会が混迷する今、きみは英語力を携え、今いる場所から飛び出してみてはどうだろうか。

新しい世界に飛び込んでみてはどうだろうか。

新しい仕事。新しい会社。海外。

どこに飛び込もうと過去と切り離して生きていくことはできない。しかし確実に、新しい世界にも自分を放り込むことはできる。

世界に飛び出すことで、僕らの美しい国と自分自身、そして家族や周りの仲間たちを、もっと愛せるようにもなると信じている。

どんなに楽しもうにも、いやもしかしたら楽しむためにも、誰もがそれぞれの環境で、暗闇の中を目をつぶって走らなければいけない瞬間がある。

後悔しないように。遠くに見えるその微かな光を見失わず、絶対に離さず、走りたいなら走ろう。そして、何としてでもその手でつかめ。

最後に、この本の出版を快諾し、幾多の助言をいただいた、ダイヤモンド社の土江編集長と笠井一暁さん、家族、会社を支えてくれている仲間に心から感謝したい。そして、メジャーリーグで頑張っている日本人プレイヤーに。

T君とT君に捧げる

杉村太郎

2001年3月24日

TOEFL&TOEIC コーチングスクールPRESENCEのご紹介

ハイスコア獲得には、自分自身でのモチベーションの高い学習が不可欠です。

PRESENCE（プレゼンス）は、スコア獲得に最も効果的な「勉強方法の指導」と、「学習の進捗状況のマネジメント」のコーチングを中心に行うまったく新しいスクールです。

優秀なコーチと目標を設定し、学習方法を確認。コーチと仲間との約束を守りながら、確実に学習を進め、短期間のうちに目標スコアを獲得します。受講生全員が短期間で実績を出しています。

超少数精鋭。必要に応じてキャリアデザインのサポートも行います。

これから勉強しようという方も、これまで勉強してきたが、あるレベルからスコアが伸びないという方も、ご興味のある方は、ぜひお問い合わせください。

TOEFL/TOEIC

TOEFL&TOEIC コーチングスクール　PRESENCE事務局

〒107―0061
東京都港区北青山3―6―19　バイナリー北青山9階
TEL　03―5466―6505
FAX　03―5466―5756
http://www.gakyukan.net/presence/

我究館（社会人校・学生校）キャリアデザインと転職・就職のサポート

〒107―0061
東京都港区北青山3―6―19　バイナリー北青山9階
TEL　03―5466―5755
FAX　03―5466―5756
http://www.gakyukan.net

"It has been my dream to play in the Major Leagues. When I took part in the Mariners camp in 1999, I felt like a rookie, almost like a little kid. I knew then that I wanted to play in the Majors and experience the challenge of competing against the best players in the world as soon as I possibly I could." By Ichiro Suzuki

著者紹介

杉村太郎（すぎむら・たろう）

1963年、東京生まれ。1987年、慶応義塾大学理工学部管理工学科卒業。同年、住友商事に入社。情報通信プロジェクト企画開発を担当。1989年、大東京火災海上保険に転職。総合企画室、中期経営戦略プロジェクトを経て人材開発室に勤務。キャリア形成、研修企画、人材育成及び採用を担当。一方同年、シャインズを結成。『私の彼はサラリーマン』でCDデビューなど音楽活動も展開。

1992年、採用、研修等人材コンサルティングを行う株式会社ジャパンビジネスラボ及び我究館を設立。我究館では翌年卒業予定の大学生を対象に"ワークシート"を使った独自の人材育成を展開。初年度から高い第一志望内定率を達成した。1994年に、マガジンハウスより『絶対内定'95』を発売。大学生の間で大きな話題を呼び、新時代にふさわしい就職ガイド書との評価を受ける。その後『絶対内定』シリーズは毎年10万部の発行部数となり、就職活動に臨む学生の圧倒的支持を得ている。1997年、転職、起業、キャリアビジョンの再構築を考える「我究館社会人校」を開校。9年間で2500人以上の大学生、社会人に対し、7000時間の講議と、のべ1万時間の個別面談を通してキャリアデザインのサポートを行った。OBOGの進路はマスコミから金融、官僚、タレントまで幅広く、その多くが著しい活躍をしている。2000年、我究館館長職を三宅裕之に譲り、我究館会長に就任。生まれ変わった我究館は就職転職実績においても高い結果を残している。

2001年、自身の英語学習のノウハウを体系化し、TOEFL/TOEICのコーチングスクールPRESENCEを開校。英語を教えず、コーチングによる高いモチベーションの維持と勉強法のマネジメントというユニークな手法と、短期間で受講者全員が目標スコアを獲得する実績で注目を集めている。

同年、ハーバード大学ケネディスクール行政大学院入学。日米の教育問題や雇用問題の研究など、さらに活躍の場を広げ、人材育成及び就職・転職等キャリアデザインに関するエキスパートとして、講演活動、執筆活動を展開している。

TOEIC®テスト900点　TOEFL®テスト250点への王道

2001年6月28日　初版発行
2001年7月23日　2版発行

著者／杉村太郎
装幀／石澤義裕
印刷・製本／ベクトル印刷

発行所／ダイヤモンド社
〒150-8409　東京都渋谷区神宮前6-12-17
http://www.diamond.co.jp/
電話／03·5778·7233（編集）　0120·700·168（受注センター）

ISBN 4-478-98047-0
落丁·乱丁本はお取替えいたします
Printed in Japan